新潮文庫

王の挽歌

上巻

遠藤周作著

新潮社版

5608

目次

王の挽《ばん》歌《か》

上巻

長門
山口
周防
玄界灘
合尾浦
門司
小倉
苅田
周防灘
筑前
香原岳城
立花城
馬ヶ岳城
竹田津
博多
宝満城
豊前
中津
岐部
国東
岩屋城
宇佐
武蔵
太宰府
岩石城
妙見岳城
国東半島
大隈城
竜王城
安岐
奈多
古処山城
日出
杵築
別府湾
別府
日田
由布
府内
佐賀関
佐嘉
筑後
高崎山
肥前
柳川
玖珠
戸次
三池城
豊後
臼杵
豊後水道
九重山
野津
津久見
竹田
岡城
佐伯
津賀牟礼城
栂牟礼城
阿蘇山
宇目
隈本
島原
有馬
口之津
岩尾城
無鹿
県(延岡)
肥後
日向
耳川
日向灘
佐敷
高城
出水
佐土原
鶴田
野尻
川内
薩摩
大隅

生きかたの違い

天正《てんしょう》十四年、四月六日——

三年かかり、ようやく完成した大坂城二の丸で関白秀吉《ひでよし》は眼《め》をさました。機嫌《きげん》はよかった。大坂城で秀吉の寝所は幾つもあったがそのうち公式のものは本丸にあって、これは関白と正室とのものだった。

冒頭から寝室の話などして恐縮だが、話のついでに、関白秀吉のベッドのことなどおしゃべりさせて頂こう。

当時宣教師フロイスが実際に大坂城で謁見《えっけん》をうけて目撃したところによると、寝台は「欧州で用いる非常に高価なベッドが二つ、それに立派な織物がかけられ金の縫とりがしてあった」という。この小説の主人公でこれも秀吉の謁見をうけた大友宗麟《そうりん》の手紙にも「褥《しとね》には猩々緋《しょうじょうひ》が、枕《まくら》は黄金でさまざまな彫刻がほられていた」と書いてある。

つまり公式用の寝室としてはツイン・ベッドの部屋に、洋風のベッドをおいたのである。ベッドを秀吉がどこから手に入れたかわからぬが、おそらく堺《さかい》か博多《はかた》の貿易商人の献上物か、南蛮船から入手したものだろう。

寝室のなかには黄金づくりの笈《おい》があり、違《ちが》い棚《だな》にも種々さまざまの彫物が彫られ、そして長刀《なぎなた》がひとつ立てかけられていた。

寝室の隣りにもこれに似た寝所があって、二つの部屋には名物の茶壺《ちゃつぼ》が金襴《きんらん》の袋に入れられてずらりと飾ってあったという。

しかしこの日、秀吉が眼をさましたのは二の丸のほうの寝室である。ここは後に淀君《よどぎみ》が住んだ曲輪《くるわ》であって、秀頼《ひでより》が生まれたのもこの場所である。

秀吉時代の大坂城は本丸、山里曲輪、二の丸、三の丸、それに秀吉の正室、北政所《きたのまんどころ》が住居とした西の丸の五つからなりたっていた。

眼ざめた秀吉が手水《ちょうず》をすませると、侍女たちが着がえにかかる。

この四月六日、秀吉が着用した衣服は前記の大友宗麟の手紙のおかげで知ることができる。肌《はだ》には紅の小袖《こそで》、その上に唐綾《からあや》の白小袖。そして袴《はかま》をはいた。袴の地の色は不明だが、紫や玉虫色の模様が描かれていた。そして足袋。足袋は赤地の金襴に練縫い（生糸《きいと》を縦糸とし、練り糸を横糸として織った絹布）だった。

快晴の日で、二の丸の庭から鳥の声がきこえた。

秀吉は面倒臭そうに侍女たちのするままにさせていたが、心は満足感でいっぱいだった。香の匂《にお》いのこもった小袖に手を通しながら彼は不意に三十年前のことを思いだした。

三十年前、二十一歳だった時。彼はあちこちを流れ歩いた後に尾張《おわり》・小折《こおり》村（現在の愛知県江南市）にある富裕な油商人の生駒《いこま》家の居候《いそうろう》になっていた。

彼がその家に転がりこんだのは、灰と油とを各地に売って財をなしたこの邸《やしき》に吉乃《きつの》という出もどり娘がいて、彼女のもとに那古野《なごや》城の織田《おだ》上総介《かずさのすけ》信長が通っていることを耳にしたからである。

（あの男はいつか天下人《びと》になる）

尾張を放浪中の秀吉は——当時は藤吉郎といったが——これという理由もなく直感的にそう思った。だから武辺の世界に入って主人持ちになる以上は、この信長に仕えるべきと信じていた。それはほとんど彼の信念にもなった。

小折村、生駒家の居候と下男として住みこんだのも吉乃のもとに通ってくる信長に何とか接近したいためだった。

（あの頃《ころ》、余も吉乃さまの御歓心をえるため、剽《ひょう》げ話、色話ばかりしておった）

それを記憶の層から思いだし彼はくっくっと笑った。跪《ひざまず》いて足袋をはかせていた若い侍女が怪訝《けげん》な眼で足もとから見あげた。

計略は当ってある雨の日、彼を気に入った吉乃が、雨のせいで小折村を流れる古川で泥鰌《どじょう》をとる遊びができなくなった信長を（記録によると信長は魚や泥鰌をたくみに取ったという）慰めるために藤吉郎を書院によんだ。

庭さきから藤吉郎が書院に腰をかがめて近づくと、ちょうど吉乃が信長に今日と同じような白小袖を着させている最中だった。

この光景を秀吉は今でも忘れていない。なぜなら、そのあと彼が信長に色話を幾つか語って笑わせたのち、馬の口取りでも小者でもお仕え致したく、と大胆な願いを口にだし成功したのはこの日だったからである。彼の運命が最初に開いた日だったのだ。

生駒家の主人生駒八右衛門は藤吉郎の体の小ささを武辺に向かずと反対したが、信長は願いを許してくれた。

(あの時の……あわれな男が……今、大坂城に天下人として住もうておる)

彼はうるんだ眼で狩野永徳《かのうえいとく》に描かせた襖《ふすま》の牡丹《ぼたん》図をじっと眺《なが》めた。絵のよしあしは彼にはよくわからぬが、信長の小者になったあとも清洲《きよす》で住まわされた茅屋《ぼうおく》は一間しかなく、筵《むしろ》をしき壁は穴のあいた粗壁だった。そして十年たってやっと足軽百人鉄砲組頭になれたくらいだった。

着がえを終えた時、取次である坊主《ぼうず》の幸蔵主が襖を少しあけて、

「宗易《そうえき》殿、さきほどよりお控えにございます」

と報告した。

宗易とは言うまでもなく千利休《せんのりきゅう》のことで、この頃は秀吉に茶を教えていただけでなく、一種の秘書役をも勤めていた。彼が秀吉の勘気にふれて自決させられたのは五年後のことであ

る。

「来ておるか、呼んで参れ」

と機嫌よく秀吉は右手で肩を叩《たた》きながら命じた。

侍女たちが腰をかがめて引きさがるとすぐ、宗易が姿をあらわした。

しばらく雑談をかわしたあと、宗易は今日の秀吉の政務予定を報告し、

「未《ひつじ》の刻、豊後《ぶんご》の大友宗麟殿、登城なされます。宗麟殿は昨夜より堺の妙国寺を宿となされておられます」

秀吉は相好《そうごう》を崩し、

「そうか。今日が九州の坊主が参る日か、今日がそうか」

と自身に言いきかせるように繰りかえし呟《つぶや》いた。

九州の坊主とは言うまでもなく豊後、豊前《ぶぜん》、筑前《ちくぜん》、筑後、肥前、肥後を支配している大友宗麟のことだった。

その宗麟が遠い国からわざわざ老いた病弱の身に耐え、大坂まで上ってきたのは秀吉に救援を求めるためである。

一時は九州の大勢力となった名門大友家もさまざまな家臣団の内紛や政治的な失敗で次第に力を失い、特にこの一、二年、隣国薩摩《さつま》の島津義久《よしひさ》に烈《はげ》しい侵略を受けている。

宗麟は自力ではこの圧力に抗《あらが》うことができぬとみて、得意の外交策を用いた。元来、決し

て精悍《せいかん》な武将とはいえぬ宗麟だが、そのかわり本州の権力者を利用することで権威を保つ術にたけていた。だからこのたびも天下人と称してもよい豊臣《とよとみ》秀吉に救いを乞《こ》うたのである。

「大広間には美濃守《みののかみ》さま、参議さま、少将利家《としいえ》さま……が御伺候《しこう》なされます」

と宗易は秘書として今日、宗麟を謁見する場に同席する秀吉の重臣たちの名を読みあげた。

「坊主は茶を好むか」

と秀吉は突然たずねた。

「なかなかに好きのようにございます」

さすがに宗易だけあって秀吉の下問にいつでも応じられるよう、宗麟のすべてを調べつくしていた。大友家が救援を求めてきてから、吉川《きっかわ》、小早川家その他の機関を通して兵力から家臣団や内政の弱点、そして宗麟の個人的な趣味に至るまで充分に調査し、秀吉の質問にすぐ答えられるようにしている。

「茶名を宗滴とも申し、博多の島井宗室とも交り、茶道具のよきを集めておりまする」

「さらば九州の坊主のために茶を一服たてん」

と言って、宗易を少しだけ驚かせた。

秀吉がこの頃、茶に熱中していたことは師匠である宗易が一番よく知っている。そして大坂城のなかにも山里曲輪という本丸とは地つづきだが、しかし本丸よりは一段ひくく物さびた山里の風情《ふぜい》をこらした雰囲気《ふんいき》の建物をたてたほどである。

しかし宗易が驚いたのはまだ謁見もしていない九州の大名に秀吉が自分で茶を一服たてる、と言ったことである。よほどの賓客《ひんきゃく》でないと秀吉はこういうことをしなかった。

今日は御機嫌はうるわしいと宗易は思った。そしてこの茶道の達人はその理由もよく洞察《どうさつ》をしていた。宗麟が救いを求めにきたことは、秀吉には九州すべてを自分の支配下においたも同然なのだ。島津などの反抗は秀吉には蟷螂《とうろう》の斧《おの》にひとしい。

（本日は九州をわがものになされた前祝いのごときなのであろう）

秀吉の心を見ぬいて宗易はその横顔をそっとぬすみ見た。

泊った妙国寺を早朝、まだ真暗なうちに出発、住吉、天王寺を通過して宗麟は昼すぎ大坂に着到して、ここで秀吉の家臣、宮内卿法印《くないきょうほういん》の出迎えを受けた。とても彼の領国では見られぬ人家の夥《おびただ》しさにも驚いたが、しかし大坂城を眼にした時はほとんど衝撃にも似た感情で足をとめ、息を呑《の》んだ。

当時、大坂城はほぼ完成をしていたが、昨年の天正十三年から二の丸の普請《ふしん》が始まり、宗麟が登城した時には無数の人夫が蟻《あり》のように石を運び、石を曳《ひ》き、手を休める者一人もない有様だった。

その人数、石垣《いしがき》の壮大さ、石の大きさ、そして大河ともみえる堀《ほり》にくらべれば宗麟の府内城や臼杵《うすき》の城などあまりに見すぼらしい。スケールも違った。外観の美しさも比較にもならない。

圧倒された宗麟はここで秀吉とできるだけ対等で談合をしようとした昨夜までの気持が萎《な》えるのを感じた。

案内役の宮内卿法印に先導され巨大な鉄門をくぐり「仰天申し候」と宗麟はその夜正直に国許《くにもと》の年寄り衆たちに書きしたためている。かねて大坂城の壮大さは耳にはしていたが、話に聞いた時よりも驚いたとのべているのだ。

宗麟がこの日眼にした本丸を宣教師フロイスは次のように記述している。

「中央に高い塔（天守閣）を建て、堀、壁、堡塁《ほるい》を設けた。堡塁はそれぞれ塔楼のようで入口に大小の門があるが、門は鉄で覆《おお》うてある。これらは住居で、役人や使用人たちの居所である。更に別に財宝を貯えた蔵や弾薬、糧食を入れた武器庫や糧秣《りようまつ》の倉があった」

宗麟は自分の拠《よ》りどころとしている府内の館《やかた》や臼杵に作った城を思い、溜息《ためいき》をついた。なるほど府内（現在の大分市内）の館には公文所《くもんじよ》、記録所、細工所、調理所などの建物があるが、それらは大坂城の半ばにも及ばぬ狭い高台に、密接して作った二階建ての建物にすぎない。その府内を囲む城下町の人口は最盛期でも八千戸だったが、この大坂城の周囲には「わずか四十日で七千戸」が建つほど急激に人家がふえつつあると案内役の宮内卿法印が誇らしげに説明した。

（時代は変ったのだ）

その思いが痛烈にこみあげてきた。

息をのみながら本丸に入った。後にこの本丸には明《みん》の使節を迎えるため有名な千畳敷御殿が作られたが、宗麟時代の謁見の場所はそれほど大きくはなく、幅九間の座敷三間の襖をはずして大広間としたものである。

宗麟と供の柴田統勝《しばたむねかつ》、佐藤新介の三人は脇差《わきざし》をはずし、大広間の二つ目の座敷に席を与《あた》えられた。緊張して正座していると、やがて三名の重臣たちがあらわれ、宗麟をみると軽く会《え》釈《しゃく》して着座した。

「前田利家少将殿、安国寺恵《え》瓊《けい》殿、利休居士《こじ》でございます」

と宮内卿法印がその三人を宗麟に紹介した。宗麟は自分の名を名のりふかぶかと頭をさげた。

しばらく待った。やがて足音が遠くから聞えた。利家も恵瓊も利休も硬直したように坐《すわ》りなおした。

襖が両側からあけられた。白小袖を着て模様のついた袴をはき、赤っぽい足袋をはいた男が数人の供を従えて入ってきた。彼はそのまま上座にあぐらをかくと、大きな眼で宗麟をじっと見つめた。

平伏してから顔をあげた宗麟は、相変らず大きな眼で自分をじっと見つめている男の体が小さく顔も貧弱なのに気づいた。

（これが天下人か）

信じられなかった。九州でも最も由緒《ゆいしょ》ある名門大友家に生れた宗麟は、自分は貴人の相を持っているとひそかに自負していたが、この秀吉は土くさい。頬《ほお》がこけ、耳と眼は異常に大きいほかはどこにでもいる農夫の顔なのである。

（まこと、この男が天下人なのか）

さきほどは圧倒され、時代がこれほど大きく変ったことに無知だったのを恥じた宗麟だが、この顔をみた時、何ともいえぬ安心感がこみあげた。

秀吉から少し離れて座敷の側面には弟の美濃守秀長、つづいて宇喜多《うきた》秀家《ひでいえ》、細川幽斎《ゆうさい》、そして宇喜多忠家《ただいえ》が正座している。

静寂のなかで宮内卿法印が隅《すみ》から、

「九州探題職大友宗麟殿にござります」

とあらためて声をだした。

宗麟は昨夜から考えていた秀吉への挨拶《あいさつ》を礼儀正しくのべはじめたが、小さな男は笑いながら、

「よい、よい、万事はここにいる美濃守秀長や利休より聞いている。島津のことなども、案ずるには及ばぬ」

と宗麟の言葉に手をふった。まるで子供たちの争いを鷹揚《おうよう》に仲裁する親のような口ぶりだった。

間もなく長袴をはいた男たちが膳《ぜん》を捧《ささ》げもって入ってきた。酒、菓子、湯の接待である。

「かた苦しきことと秀吉は好まぬ。対面の儀式はこれにて終ろうぞ。宗麟、この城を見てどう思うたか」

と秀吉は一度だけ酒杯を口にあてた。

「ただ、ただ……」と宗麟はかすれ声を出して言葉を切った。老齢のため痰《たん》が咽喉《のど》にからむのである。「仰天、致しました」

秀吉はこの返事が気に入ったとみえ、今度は声を出して笑った。眼前の老人は九州六ヶ国を制圧した名門の守護だそうだが、今このように大坂城のすべてに圧倒されている。それが可笑《おか》しかったのだ。

宗麟は宗麟で秀吉を見た瞬間から、どうすればこの小さい男に気に入られるか直感的にわかった。

この男は名家に生れた自分とちがって百姓の家から成りあがったと聞いている。

そんな男は自分の権力の大きさに素直に驚愕《きょうがく》し、ひれ伏す者たちの前で得意がるにちがいない。それならばこの場所では作法、品格を保とうとせず、驚きをむき出しにしたほうがいい。それが秀吉を籠絡《ろうらく》する方法だ——宗麟はそう決めた。

その宗麟の思った通り、秀吉は嬉《うれ》しそうに、

「そうか。仰天いたしたか」

とうなずき、

「右大臣信長公の安土《あづち》城も天守は七重で、その高さにこれを見る者、すべて舌をまいたが、余が大坂城は十層よ。たち働いた人数は安土は一万、大坂城は五万に近い」

と笑って、

「安土のことで思い出したことがあるぞ。あの折石垣のひとつとして五間有余の名石を山上に運びあげし時、中ほどに達せぬうち、土中に滅入り何とも動かず難儀したことがあった。押すも曳くも動かず、曳手の数千人、立往生をなし、信長公も勘気を立てなされたため、この秀吉に作事奉行より注進があった。信長公よりも、筑前、いかに巧《たくみ》、これなきか、のおたずねあって、余は一気に引きあげず、急坂《きゅうはん》をさけ山腹をゆるりゆるりと廻《まわ》り候《そうら》えば、無事に山頂に相達しますと答えて面目をほどこしたものよ」

宗麟は少し大袈裟《おおげさ》に手をうって感心をしてみせた。その無邪気な感心の様子が気に入ったのか、秀吉はすかさず、

「宗麟は茶が好きか」

「宗麟殿は茶では宗滴と名のられ、嗜《たしな》みはなかなかのもの、と島井宗室殿より聞いております」

と利休がかわって答えた。

「そうか。好きか好きか。さらば、今より宗滴とよばん。宗滴を茶室に案内《あない》せよ」

と秀吉は利休に命じ、もう立ちあがっていた。

一同は秀吉のあとに続いた。宗麟が前田利家のあとに歩こうとすると、利家は細ながい顔に恐縮した表情をみせ、これを断り、

「向後《こうご》、御入魂《ごじっこん》、願い奉る《たてまつる》」

と小声で挨拶をした。以後、お見知りおき願いたいという意味である。

先にたった利休が畏《かしこま》って茶室にむかった。先ほど引用したフロイスの大坂城本丸についての報告のなかにも、

「茶の湯の美しい家があり、これに庭が接して緑の美観をそえている。庭の隅の小高い場所に黄金をもって飾った美しい座敷がある。そこから緑の野と美しい河が眺《なが》められる」

とあるが、宗麟が案内されたのはこの黄金の茶室だった。

広さは三畳にすぎなかったが、天井も黄金、壁も黄金、あかり障子の骨も黄金。にじり口から身を入れた瞬間、宗麟は、

「あ」

と嘆声を出した。嘆声を出して秀吉がこの声を聞いた、と思った。

主客の座に坐る。隣りは宗麟の供の柴田統勝である。そして同席を許されたのは半東役《はんとうやく》の

利休のみである。

　着座した時既に釜《かま》がかすかな音をたてているのを知った。はじめから秀吉は利休に命じて茶室の用意をさせていたのに宗麟は気づいた。黄金ずくめの茶室をみせて宗麟がどのような表情をするか、見たかったのであろう。宗麟は心得て現われた秀吉に言った。

「美々しさ、息も……できませぬ」

「そうであろう」

　と秀吉は無表情にうなずき、金の柄杓《ひしやく》を手にとり、これも黄金の釜に入れた。秀吉の点前《てまえ》は手なれたもので、半東をつとめる利休が黄金の茶碗《ちやわん》を宗麟の前においた。半分を飲んで残る半分を隣りの柴田統勝に与える許しを乞《こ》うと、

「外の者どもにも飲ませよ」

　と秀吉は外で待っている佐藤新介以下、宗麟の供一人ずつに茶室に入るのを許した。宗麟が棗《なつめ》と茶杓の拝見を願うと利休はこれも黄金の棗に茶杓をのせて宗麟の前に近よってきた。

　その時――利休の頬にかすかなうす笑いが浮かんだのに宗麟は気づいた。

　このうす笑いが何を意味しているか、宗麟は瞬間で感じた。利休は作法通りに道具拝見を乞うた宗麟を嗤《わら》ったのではなく、この黄金の棗と茶杓とそして秀吉の趣味とをこの時、嗤ったと感じた。

「眼福、過分至極でございます」

棗と茶杓とを利休にかえして宗麟は客としての作法にしたがい礼をのべた。なるほど遠い豊後《ぶんご》に住いをして自分は時勢に遅れたかもしれぬ。この大坂城のような壮大な城を持てなかったかもしれぬ。しかし自分には黄金の茶室を作るほどの下賤《げせん》な趣味はないことに宗麟は今の利休の嗤いで、誇りを感じ、勇気づけられた。

しかし秀吉はそんな老人の心中を見ぬかず、更に上機嫌《じようきげん》で雑談をはじめた。

「余が仕えた信長公は家来が濫《みだ》りに茶会を開くことを許さなかった。だからその許しをもろうている佐久間《さくま》信盛、柴田勝家の面々が羨《うらやま》しゅうて羨しゅうてな。茶の作法を憶《おぼ》えたのは鳥取城を干殺《ひごろ》しに致したあと淡路《あわじ》を攻めて——宗易、あれはいつであったか」

「天正《てんしよう》九年の師走《しわす》にございます」

利休は無表情のまま、まるで暗記していた機械のように答えた。

「そうよ。その師走、雪のうすく積っておる安土にのぼり、信長公より鳥取城平定の褒美《ほうび》として茶道具、十二種名物を頂戴《ちようだい》したあと、摂津の茨木《いばらき》城にて生れてはじめて茶会を催した。その折は柄杓ひとつの使いかたも知らぬ次第であった」

あけすけに秀吉は自分がむかし、無知無学だったことを披露《ひろう》した。無知無学があの鮮やかな点前を今はするようになったのだ。

「宗麟殿は秘蔵の茶壺《ちやつぼ》、志賀を献上なされました」

と横あいから利休が宗麟のかわりに言上《ごんじょう》してくれた。秀吉は満足げにうなずいた。

「天守閣も案内《あない》いたさんか」

と秀吉は茶室を出た時、宗麟の肩に手をおいた。

大坂城は九階建とも十階建ともいわれている。ちなみに信長の誇った安土城も七階建という説がある。

秀吉はこの天守閣を賓客《ひんきゃく》に見せて自慢したが、この時も自分が先にたって階段を上った。五十七歳で病弱な宗麟には九階の階段を次々と上るのは苦しかった。彼はしかし肩で息をしているみじめな姿を美濃守秀長《みののかみひでなが》をはじめ秀吉の重臣たちに見せたくはなかった。秀吉はそれを無視して、

「ここは綿蔵よ、この上に手火矢、玉薬をあまた収め十年の籠城もできる。三重目より大手火矢、大筒をおいてあるが、余の存命の間は大坂では使う折はあるまい。ひとつ九州に運び、薩摩の奴《やつ》ばらに用いてみようか」

と皆を笑わせながら、同時に彼の武力を誇示した。

天守閣の最上階に上った。雲はあったが晴れた日で風のすれあう強い音がきこえた。

「あれが明石《あかし》、こちらは紀伊《きい》、今日は晴れておるゆえ四国もおぼろげに見えようぞ」

と南を指さし、弟の秀長を腭《あご》で示し、

「この美濃守がな。昨年の六月、二た月もかからず四国も平定致した。されば関東より西は九州をのぞいて、すべて余が指図の下にある」

風の音に逆らうように大きなほがらかな声で、

「宗滴、余が望みの行きつく先はこの日本ではないぞ。朝鮮を従え、唐の国を存分に切り取ることよ」

そして風のなかで、まだ肩で息をしている宗麟を憐《あわれ》むような眼《め》で見つめた。

「草臥《くたびれ》たか」

「畏《おそ》れながら、いささか」

「案ずるには及ばぬ。九州のことは余に委《まか》せよ」

宗麟の手をとってゆるゆると天守閣の出口に向い、

「茶など飲み、しばらく休むがよい。そのあと余の寝所など見物するがよい」

と言った。

こうして小憩の後、宗麟が見させられたのが先にのべた寝室だった。

小憩中、秀吉は珍しく自分の初陣《ういじん》の話をした。話によると彼がはじめて信長の家来として戦《いくさ》に参加したのは永禄《えいろく》七年の初夏で犬山城にいる従兄弟《いとこ》の織田訃厳が信長に謀反《むほん》を起した時だった。十年の奉公でやっと百人足軽頭になったばかりの彼は大胆にも木曾川《きそがわ》ぞいの伊木《いぎ》城と鵜沼《うぬま》城とを調略によって開城させようと僅《わず》かな人数で乗りこんだ。そして鵜沼城主、大沢治郎左衛門の助命を信長がゆるすまで二日間、この城で人質になることを約束した。

「正直申して、城中に閉じこめられしその折はこうなるかと思うたぞ」

と秀吉は右手で自分の頸《くび》を切る真似《まね》をして皆を笑わせ、急に大きな眼で宗麟をじっと見つめ、

「だが宗滴は名家の生れゆえ、余のごとく這《は》いずりあがる者の苦労を致さず……果報者であったな」

本気とも皮肉ともつかぬ声でつぶやいた。そして、

「まずまず罷《まか》り帰り候《そうら》え」

と帰ることを許されたのは小憩後、寝室や衣裳《いしよう》所を拝見したあとだった。

城を出ると空が曇っていた。城を辞した宗麟は彼より先に退出をした美濃守秀長に礼をのべるため城普請《しろぶしん》の仮屋にたずねた。

「何ごとも何ごとも心安くなされよ」

と誠実な秀長は宗麟の手をとり、

「申さずともこの如《ごと》くに候」

といたわった。

「内々の儀は利休に、公儀はこの秀長に御相談なされよ。悪《あ》しきことは御為《おんため》にあるまじ」

その秀長の言葉に宗麟は黙って頭をさげた。

夕刻、雨にあったが無事堺《さかい》の宿所の妙国寺に戻った。


老いた宗麟には緊張の一日はあまりに長かった。宿所に戻るとくたびれを全身に感じた。彼はしばらく床に身を横たえて柴田統勝と佐藤新介の話をきいた。

「祝着《しゅうちゃく》至極に存じます」

と統勝も新介もこもごも言った。

「関白さまが今日ほどに御機嫌うるわしきことは近頃《ちかごろ》ござらぬと後刻、宮内卿法印さまも呟《つぶや》かれておられました。これにて大友家の御安泰、決りました」

「そう……思うか」

と身を横たえたまま、宗麟は皺《しわ》のよった眼をつむった。

「何ごとも何ごとも心安くなされよと美濃守さまも申されたではござりませぬか」

新介の言葉に宗麟はかすかにうなずいた。あの時、美濃守秀長が握りしめてくれた手の暖い感触が記憶に甦《よみがえ》った。

「ひと時、お眠りなされませ」

と統勝も新介も老人をいたわった。

「そのあとお薬湯を運ばせます」

二人が部屋から去ったあと、宗麟は眠ろうとした。庭から春の雨の静かな音がきこえる。

(時勢は変っている。もはや将軍の世ではない)

壮大な大坂城とその前に小さくたたずんで息をのんだ自分の姿が思いうかんだ。

(天下はあの、眼だけ大きな小男が持っている。大友家の向後もあの小男の思うままになる。そして自分は老いた)

雨の音をききながら宗麟は秀吉の言葉ひとつひとつを反芻《はんすう》していた。

「あれが明石、こちらは紀伊、関東より西は九州をのぞいて、すべて余が指図の下にある。余が望みの行きつく先はこの日本ではないぞ。朝鮮を従え、唐の国を存分に切り取ることよ」

「宗滴は名家の生れゆえ、余のごとく這いずりあがる者の苦労を致さず、果報者であったな」

この言葉を言った時の秀吉の得意そのものの表情も、宗麟を少し蔑《さげす》んだような彼の笑いかたもなまなましく記憶に残っていた。

たしかに這いずりあがる者の処世の苦労は自分になかった、と宗麟は彼の過半生を嚙《か》みしめながら思った。

(関白殿の半生は出世の苦労に明けくれておられたろう。だがわしのごとく心の悩みは決し

て持たなかったろう）

宗麟には一人の宣教師《パードレ》以外には誰にもうち明けたことのない秘密がある。あれは決して秀吉のような処世や戦いのための苦労ではなかった。しかしその思い出から逃れ、心の安らぎを得るため自分はどれほど五十七年の生涯《しょうがい》、暗中模索をなしたことか、仏門も叩《たた》いた、基督《キリスト》教の話もきいた、それこそ宗麟にとって本当の戦いだったのだ。

あの暗い思い出。

おそらく関白殿にはそんな心の安らぎを求めての戦いはあるまい。よし、あったにせよ黄金の茶室を作り、家臣や客に誇示する神経がそんなことに苦しむ筈《はず》はないだろう。

宗麟は、棗を運んでくれた利休のかすかな嗤いを思い出した。そして利休ならば関白と自分との違い、わかってくれると思い、彼自身もこけた頰《ほお》におなじような嗤いをうかべた。やがて疲れのため、眠りに入った。

おなじ夜、秀吉は湯を飲みながら側近やお咄衆《とぎ》たちと雑談をかわしていた。堺とおなじように大坂城にも細かい音をたてて雨が降っていた。

「九州の坊主《ぼうず》、どうやら」

と秀吉は首をかしげて少し考えてから自分の印象をのべた。

「武辺に向かずと思うたぞ。いったいに武家の名門に生れた大将は老いても少しは荒きところが残らねばならぬ。北《きた》の庄《しょう》の柴田勝家は今日の宗滴とそう年齢《とし》の差はなかったが、余と戦うた時、まだ荒びておった。だが宗滴、どことなく悟りきらぬ僧侶《そうりょ》のごとく枯れて枯れきっておらぬ」

秀吉の人物評は的確の評判があったし、「悟りきらぬ僧侶の如し」という宗麟のイメージは今日、彼を目撃した者にはぴたりの比喩《ひゆ》だったので座にいた者は笑った。

「あれでは……島津の輩《やから》には勝てまい。戦には勢《いきおい》が味方いたすが、勢は島津にあって、宗滴の顔からは既に失《う》せたようにみえる」

「それゆえ、宗麟殿は殿下の御動座を懇願に参ったのでございます」

と誰かが阿《おもね》るように答えた。

「懇願の有無にかかわらず」

と秀吉は笑った。

「いずれ近くに九州は切り取る所存であるゆえ、宗滴の参上は余にとっては切掛けにすぎぬ」

「九州御平定のあとは大友家の所領、如何《いか》ようになされますか」

と同席していた利休がたずねた。それは一同みなが聞きたい質問だった。

「そうな」

と秀吉は湯を一口飲んで利休に聞きかえした。

「大友家の所領地は何ヶ国か」

「名目においては豊後、豊前《ぶぜん》、筑前《ちくぜん》、筑後、肥前、肥後の六ヶ国の守護を許されております。されどこの六ヶ国のあちこちに今日まで内紛がたえませぬ」

「六ヶ国か」

秀吉は指さきで腭をなでながら考えこんだ。しばらく沈黙がつづいた。

宗麟は島津義久とちがって進んで秀吉の膝下《しっか》に伏してきた。しかも九州きっての名門である。さればおそらく六ヶ国の所領のうち、没収されるのは二ヶ国か、三ヶ国、少くとも三ヶ国の安堵《あんど》を許しおかれるだろうと誰もが思いながら答えを待っていた。

やがて秀吉はつめたく言った。

「豊後一国でよし」

父の血によって

オイディプスがそれと知らずに殺したライオスは彼の父親であった。(ギリシャ悲劇)

眼《め》がさめた。

病弱な宗麟《そうりん》は年齢《とし》をとってから、真夜中、眼をさますことが多くなった。眼ざめると、次の眠りに入るまで時間がかかる。そんな時「老去神衰夜不眠」という言葉がいつも頭にうかぶのだ。

ここは堺の妙国寺だと眼がさめてから気づいた。口に手をあて、二度、三度、咳《しわぶ》いた。痰《たん》が咽喉《のど》にからんだ。

今みた夢のことを思いだした。関白にお目通りいただいた夜、なぜ久しぶりに母の夢などみたのだろう。

それは亡母の供をして幼い彼が府内の万寿寺《まんじゅ》に参っている場面だった。夢でも万寿寺ということは見憶《みおぼ》えのある五重の塔ですぐわかった。

「大きくあろう、豊後随一の大きなお寺じゃ」

と輿の戸をあけて眼の悪い母は字でも書くように空に指を動かした。二年前から眼病を患った彼女は医師たちの手当にもかかわらず、次第に焦点のあわない眼差しをするようになった。

「関白さまの大坂城はこの寺など及びもつかぬほど大きゅうございました」

と宗麟は輿の傍《かたわ》らで背をぴんと伸して答えた。そう答えて彼は得意だった。

「賢いの。五郎は」

幼い時塩法師丸、元服前までは五郎というのが宗麟の名だった。が、母は、いつも彼を五郎と呼んでくれた。周りの侍女たちがわざと感心したように幼い彼を見た。

あまたの禅僧たちが母の病気平癒《へいゆ》を祈っている寺内にいつの間にか入っていた。薄暗い内陣のなかに息ぐるしいほど香の臭《にお》いがこもっている。鉦《かね》の音や仏の名号を称《とな》え、読経《どきよう》する嗄《しやが》れた仏僧の声が、夏の蟬《せみ》の鳴声のように時には高まり、時には低くなる。

仁王像が二体、こちらを睨《にら》んでいる。一体は口を開き、もう一体はきっ
と口を閉じ……。

「怯《おび》えることはない、仁王さまはな、悪いことをなした者は罰するが、五郎はよいお子であろう」

眼の悪い母は宗麟をなだめるため、彼の頭を指でさぐった。母親の指が首すじから頭をゆっくりなで動いている。母の衣服の匂《にお》い。母の指の感触が宗麟を余計に悲しくさせた。

（あれが……母の思い出のひとつだ）

闇《やみ》のなかで老人は今日まで何度も思いだしたこの光景を嚙みしめた。眼の焦点が合わなくなった母の哀《かな》しい表情も。

母についてもうひとつ憶えている風景がある。それは小さな銀箔《ぎんぱく》をまき散らしたように光る春の海だった。桃の花の点在する瓜生島《うりう》がみえたから府内のそばの沖の浜にちがいない。母は見えないが、記憶のなかで彼女の存在は身近に感じた。波が緩かにうち寄せ、漁村は花にかこまれ、暖く、すべてやさしく、安全だった。身の危険も母がそばにおられたその風景のなかにはなかった。

（あのお方が亡《な》くなられた時から、何もかもが変った）

思えば彼の人生はあの母と過した幸せをどこかにむなしく探し、充《み》たされなかった集積かもしれなかった。

たしかに局面は母の死後、一変した。父なる人——大友義鑑《よしあき》のそばに新しい義母があらわれ、宗麟は今までの館《やかた》から別の館に住まわされた。

「向後《こうご》はこの入田親誠《にゅうたちかざね》がそなたの守役となる」

と父の義鑑は感情を見せぬ顔で告げた。義鑑は自分の本心を家臣にみせぬことが統領たる者の心得とした男である。

「親誠は大友家に忠義の家臣である。されば、これより親誠の申すことは父の言葉と思うて従うがよい」

傍らには眼の鋭い、陽《ひ》に顔のやけた男が背すじをきっとのばし、正座していた。一眼みただけで彼が戦場を駆けめぐってきた武将の一人だとわかった。彼は馬を選びだすような眼で宗麟の頭から足の先まで調べみた。そして父が引きあげたあと、

「守役とは申せ、この入田親誠、きびしゅうお育て申すつもりでござるが、よろしいか」

とひくいが力のこもった声で宗麟を威嚇《いかく》した。その時、彼の口もとに少し唾《つば》がたまった。

宗麟と彼にそば附きの同じ年頃の少年たちに日課がきめられた。

「馬も弓も敵を討つためよりは、身をお守りになるためと心得なされよ。事が起りました時、わが身を守るのは御自身でございますぞ」

と入田親誠は、弓の稽古《けいこ》のはじめに言った。

幼い時、腺病質《せんびょうしつ》だった宗麟は馬も弓も得手ではない。矢場で並んだ少年たちのなかで彼は最も非力で、弓をひいた時は腕力のないため、充分に矢を引きしぼれずに苦しんだ。

少し離れたところで親誠はじっとこちらを凝視して、

「そのようなお姿では……敵は殺せませぬ」

と怒気をふくんだ大声をあげた。

他の少年たちの放つ矢が鋭い音をたてて的に突きさっても、宗麟のそれは砂にぶつかり力なく落ちた。

「そうではない。こうなさるのじゃ」

屈辱に耐えている少年のそばに親誠はいらだって近寄り、片肌《かたはだ》ぬいで自分で模範をしめそうとした。宗麟が不快になるほど、その肩や腕は筋肉でかたまっていた。

なじめぬ馬や弓の稽古より、宗麟は歌や字を習うことに心ひかれるようになった。

大友家は鎌倉《かまくら》期以来の名門だったから、宗麟の父義鑑も朝廷や幕府への貢物《みつぎもの》を怠らず、都の有力な公卿《くぎょう》たちともたえず連絡をとることを忘れなかった。その上、宗麟の姉の一人は土佐の一条家に嫁いでいたので一条家を通じて公卿たちに品物を送ることもあった。

大友家には宗麟の祖父、義長《よしなが》がきめた「義長条々」がある。いわば大友家の法律のようなものである。

なかに、

「弓馬の道は申すに及ばず、文学、歌道、蹴鞠《けまり》以下これをさしおき、独り鷹野《たかの》を専《もっぱ》らにするは甚《はなは》だ以《もっ》て無益の事なり、云云《うんぬん》」

の一ヶ条があって大友家の血を受けた者は弓馬の稽古のほか、文学、歌道、蹴鞠を習い、都の公卿たちに嘲《あざけ》られぬ教養を身につけることを要求されていた。だから宗麟の屋敷にも府内の春日《かすが》神宮から宮司がきてこれらを教えた。宮司は一条家出身である。

入田親誠は歌や文学に次第に夢中になっていく宗麟をみて苦々しい顔をした。

「なるほど義長公の仰《おお》せには、そのようにございますが、武辺の御嫡男《ごちゃくなん》にとりましては連歌など、所詮《しょせん》、公卿衆《くげしゅ》の真似《まね》ごと」

と戒めた。その時も彼の口もとに唾がたまった。

「もし事が起りました時は、わが身を守るのは御自身でございますぞ」

と最初の日と同じ言葉を言った。

宗麟は「事が起りました時」とはどういう意味かとたずねた。彼はそれを漠然《ばくぜん》と戦のことと考えていたが、親誠の今の言いかたに妙な暗示を感じたのである。

「いつかお教え致します」

と親誠は眼をそらせ口を濁した。

彼の眼のそらせかたで宗麟は自分の知らぬ何かをこの守役が知っていると思った。


彼の屋敷は父の住む大友館より少し離れた西山にあった。現在の大分市――当時の府内は正方形の町割りで南端にこれも方形の土塁をめぐらし、東に大手門を持った父の館や公文所《くもんじょ》、記録所、奥の蔵、細工所等の建物の並ぶ、いわゆる「大友御屋舗《おやしき》」が存在し、この屋敷と大分川との間に高く五重の塔が空にそびえていた。宗麟が夢でみた万寿寺のあの五重の塔である。

府内には寺が多かった。万寿寺は豊後随一の壮大な寺だが、他に有名なのは五十人の禅僧の住む大智寺《だいち》である。大きな尼寺も比丘尼《びくに》と男僧たちが同居するものと尼僧たちだけの寺があった。だから海にちかい府内の城下町を歩くと波音と共に読経の声や鉦の音はどこからでも聞えた。

天文八年、元服した宗麟は週に一度は大友御屋敷に父の御機嫌《ごきげん》をうかがいに通うことになった。

宗麟にはまるで彼を感情のない道具のようにじっと見る無表情の父がこわかった。父だけでなくその左右に居並ぶ同紋衆（一族衆）や重臣たちの、これも感情のない顔がこわかった。しかも彼等の名はいずれも憶えるのがむつかしかった。

「あれが臼杵鑑速《うすきあきすみ》殿、その左隣りが戸次鑑連《べっきあきつら》殿、右隣りは吉弘鑑理《よしひろあきなお》殿」

入田親誠が背後に端座して、小声で同紋衆や重臣たちの名を教えてくれる。しかし宗麟にはどの顔も同じように見え、区別がつかない。

わかるのはどの名にも鑑という字がつくことだ。父、義鑑の一字をもらうことは名誉というよりは共同体の結束の徴《しるし》と考えられていた。

「大友家には三つの柱がござります。よう憶えておかれませ」

と親誠は大友屋敷から戻ると、ほっとした宗麟にくりかえして教えた。

「御血縁、御一族よりなります同紋衆。もとより同紋衆のなかには御血縁ではなくとも大友家に大いに忠誠つくされました者も時折、加えられます。第二の柱は国衆。大友家が鎌倉幕府より遣わされて豊後下向の折から仕えて参りました国侍たち。更に、第三の柱は新参衆。豊後の外の国々に住み、大友家に帰伏いたした者たち。この三つの柱の上に御父上がおられます」

そして言葉をきって、

「されど御父上もこの三つの柱あればこそ大友家総代。大友家を動かすも亡《ほろ》ぼすもこの三つの柱が同意すればこそでござる。とりわけ同紋衆、重臣の御同意が何より大事と向後お思いくだされ」

と親誠は強調した。

親誠の意見に宗麟はいつもうなずいた。弓矢の稽古以外は意味も内容もよく考えず、ただうなずくだけでよかった。この口に唾のたまる男の言葉には逆らわぬほうがいい、そうすれば何事もなく毎日が過ぎていく。

元服三年後の十三歳の折、宗麟はいつものように大友屋敷に挨拶《あいさつ》に出かけた。

この日は彼と久しぶりで見る弟の晴英《はるふさ》とが京都の将軍、足利《あしかが》義晴に長刀、唐錦《からにしき》、豹皮《ひょうがわ》を献ずる儀式があった。もちろんすべてを父と家来たちがとり計らってくれたのである。

「将軍家にたいし、今日まで礼を尽して勤め励むのが大友の習わしである。さればこそ将軍の御名である義の一文字も大友家を継ぐ者に与えられ、従四位の位も得ることができた。この上は更に九州探題《ちょうだい》職の御名を頂戴すべく、折々をみて献上奉《たてまつ》らねばならぬ」

儀式が終った時、父は家臣たちの前で二人の子供に教訓をたれた。同紋衆も重臣たちも例によって同じように表情のない顔で仏像のように並んでいた。

このあと能があった。大友御屋敷に設けられた能舞台で禅竹の「小塩《おしお》」とめでたい「大《おお》社《やしろ》」が演じられた。

「小塩」は洛西《らくせい》、大原山を舞台に折から訪れた花見の男が桜花をかざして浮かれている一人の尉《じょう》から昔話を聞く話である。

詩歌や文学の好きな宗麟は、相変らず沈黙して舞台に向いている重臣たちと違い次第にこの匂やかな物語に引きずりこまれた。少年のくせに「大原や小塩の山も今日こそは神代の事も思ひいづらめ」という古今集の歌も知っていたし、花見の尉として登場するのが業平《なりひら》の化身だということも推理できた。

「小塩」が終って「大社」が支度されている時、観劇を許された女たちのなかの、じっとこちらを見つめている一人の女性に気がついた。白くぬった丸顔で彼と弟の晴英をみる眼がつめたかった。視線があった時、その冷やかな表情に急につくり笑いがうかび、軽い会釈《えしゃく》をした。

「あれは」

と彼は入田親誠にそっとたずねた。

「小少将さまにございます」

「小少将」

「殿の御寵愛《ごちようあい》を受けられておられます。既に塩市丸と申される御子もおありにございます。

したがって塩市丸さまは若殿の末弟になられます」

「塩市丸」

「さよう。まだ三歳でございますが……殿は……」

親誠はこちらの心を探るような眼つきをして、

「ことのほかお慈しみ《いつく》でござる」

塩市丸。三歳。お慈しみ、という言葉がひとつひとつ、宗麟の頭にひっかかった。

自分には感情を決してみせぬあの父親が塩市丸という幼児を笑顔で抱いている光景がまぶたに浮かんだ。父からは慈しみを受けたという記憶が宗麟にはない。彼にとって愛を注いでくれたのは母のあの指だけだった。銀箔をまき散らしたように光っていた春の海。そばにいてくれた母。暖く、すべてやさしかったあの浜。

能が終って義鑑が立ちあがると一同、頭をさげた。義鑑が退出したあと、宗麟と晴英と同紋衆、重臣たちが桟敷《さじき》を出た。

「これは……」

と立ちどまって背の高い一人の若者が宗麟に通り路《みち》をゆずり頭をさげた。重々しい他の重臣とちがって人なつこい笑いを頬《ほお》にうかべた。その時、

「田原親賢《たわらちかかた》殿にございます。田原御一党は国東《くにさき》の名家にて……」

と例によって背後から入田親誠が教えてくれた。

「ただ今の舞台に御感興の御様子とお見受け致しましたが」

と田原親賢は若者らしく健康な白い歯をみせてたずねた。少年が素直にうなずくと、

「国東の奈多《なだ》の神社では近く祭がございます。十月になりますと行幸会《ぎょうこうえ》と申す祭がございます。祭の折、能は演じませぬが、浜にて神楽《かぐら》を催します」

「親賢殿の御実家は」

と入田親誠が説明を加えた。

「その奈多社でございます。田原御本家の安岐《あき》城と奈多家の奈多城とは間近に接しております。親賢殿は奈多家から田原家に御養子になられました」

「浜で神楽を……」

「さようでございます」

母と立った浜がすぐ頭に浮かんだ。光る海を背景に神楽が演じられる。見たいと思った。ふりむいて親誠の同意をえようとしたが、親誠はそれに気づかぬふりをしていた。

桟敷を出るともう一組、宗麟と弟の晴英とに会釈した者たちがいた。さきほど能を見物していた小少将とその侍女たちである。

白く塗った丸顔がこの時も兄弟二人にじっと向けられていた。丁寧に会釈をしたが、彼女

の眼《め》に不快そうな色が一瞬、走ったのを宗麟は感じとった。この女から決して好かれていない、と思った。

「それは、御答えしかねます」

十月に国東の浜で祭の折に神楽を見たいと言うと入田親誠はこわい顔をした。

「たって、と仰せならお家形《やかた》さまの御許しを得ねばなりませぬ。あるいは御同紋衆にも御相談せねばなりませぬ」

ただ領国内の祭を見るだけなのに、同紋衆の許しを得ねばならぬのだろうか。

「田原殿はああして笑うておられましたが御本心のほどはわかりませぬ。今でこそ田原家は大友家に従うてはおりますが、八代にわたって謀反《むほん》を試みられました。御祖父さま義長公の条々にも、田原の家は侮《あなど》りても悪し、呪《のろ》いたる計《ばか》りにても宜《よろ》しからず、と戒めておられます。若君を祭に誘うてあるいは何を企《たくら》むやもしれぬお家ゆえ、親誠の一存にて決めかねます」

十三歳の宗麟にははじめて知る智識だった。彼は大友の領国は家来国人すべて従順に命令をきいているのだと思っていた。

「何を申される。北に大内あり。西に竜造寺《りゅうぞうじ》という大敵をひかえ、それぞれの国人も利によって長い間離合集散致したものでございます。お家形さまの代になりましてもいつ裏切る者の現われるか、わかりませぬ。さればこそ、いつも申しあげておりましょうが。もし事が起りました時、わが身を守られるのは若君御自身だと」

親誠《ちかざね》の眼が異様に光っている。また口に唾《つば》がたまっている。感情が激するとこの男の口に唾がたまるのだ。

「事が起るとは何か。この五郎も……裏切られることがあるのか」

宗麟は怯《おび》えた声を出した。親誠はじっとその宗麟を見つめた。

「親誠には教えられぬことか」

と宗麟は懸命に迫った。

「さらば、申しあげましょう」と親誠は決心したように「御同紋衆や御重臣にはお家形さまのあとをお継ぎになるお方につき御意見が分れております」

「大友家は嫡男が継ぐと決っている」

「だが若君の御母君は長門の大内義興《よしおき》さまの御息女にございます。大友家と大内家とは豊前《ぶぜん》を奪《と》りおうて昔よりたびたび争うて参りました。されば御同紋衆のなかには大内家の血を受けられた若君が跡目をお継ぎになることを快く思われぬ方々もおられます」

宗麟は眩暈《めまい》さえ感じた。父のそばにずらりと並んだ一族たちの顔のなかには彼の存在を不快に思う者たちもいたのだ。

「父上は……どうお考えか」

「何も申されませぬ。申されれば若君と塩市丸さまとをめぐって同紋衆、重臣たちが二つに割れますゆえ」

「塩市丸」

宗麟はこの名をはじめて聞いたかのように首をかしげた。塩市丸。むかしの自分の幼名、塩法師丸によく似た名。

「御末弟の塩市丸さまのことでございます」

自分の弟。母がちがう。塩市丸の母は能桟敷で遠くからじっと彼を凝視していた女である。

「このことは他言なされますな。しかし忘れてはなりませぬ」

と入田《にゅうた》親誠は真剣な表情で言った。

宗麟の人生に恐怖の種が生れたのはこの日からだった。母に守られた暖く、すべてやさしかった海のような世界が消えたのはこの日からだった。今後は自分の意志で決めるのではなく、周りに防波堤のように並んでいる一族や重臣によって決定されることも、はっきりわかった。

父と同紋衆との許しがでた。田原親賢に誘われた奈多神社の行幸会に父の名代として出ることになった。

行幸会とは九州最大の神社である宇佐宮から八幡神《はちまん》（応神天皇）の御験《みしるし》と御神体とがゆかり深い国東の八社を巡幸し、最後にこの奈多八幡に到着して海に流されるという行事である。

御験は現在の中津市の三角池でとれた真薦《まこも》だが、この御験と共に御神体と神宝とが奈多神宮から迎えにきた行列に捧《ささ》げられて宇佐八幡を出発する。現在でも奈多神社にはかつて御神体となった国宝級の八幡像、女神像が宝物として残っている。いずれも藤原後期の作品である。

親賢の義父、田原親資《ちかすけ》があらためて大友義鑑《よしあき》に宗麟の臨席を乞《こ》い、義鑑が同紋衆たちの協議でそれを許可したのは、この行幸会が宇佐宮と奈多宮両宮の、六年に一度しか行われない最大の行事だからだった。

「国東とはどのような土地であろう」

秋になると宗麟はこの小さな旅を楽しみにして何度も入田親誠にたずねた。

「山おり重なり、周辺ことごとく海に囲まれた土地にて、あちこちの崖《がけ》に石仏があると聞きました」

親誠は国東のことはよく知らぬらしく、面倒臭そうに答えた。彼の一族は直入《なおいり》郡入田（現在の竹田市）で領地が肥後に近いためか、東のほうには詳しくなかった。

「それよりも若君には屈強の者がお供致します。田原一族がこの祭のあいだ、いかなる企てをなすやもしれませぬゆえ」

十月、宗麟は府内の沖の浜から船に乗って日出《ひじ》に向った。日出は当時、府内の外港でもあった。

親誠のほか宗麟と共にこの行幸会に出席する家臣四人が船に同乗した。いずれも大友家では地位の高い家来で斎藤播磨守《はりまのかみ》、小佐井大和守《やまとのかみ》、津久見《つくみ》美作守《みまさかのかみ》、田口新蔵人《しんくらんど》である。

十月、海は眼が痛いほどあかるかった。空はよく晴れ、別府の村落からはいくすじも白く湯煙が立ちのぼるのが見えた。

日出の港に着くと、奈多社の大宮司と奈多城城主である奈多鑑基《あきもと》が供を連れて出迎えにきていた。田原親賢の笑顔もそれにまじっていた。親賢は鑑基の子だったが安岐城の田原家に養子になったのである。

親賢の笑顔を見ただけで入田親誠に吹きこまれた宗麟の不安は消えた。青年のこの笑顔が何かを画策し、罠《わな》をかくしているとはとても思えなかった。

日出から奈多までは二時間。

奈多社は松林に囲まれて、背後の丘に奈多城がある。

奈多社は既に奈良時代に創立されていた。宇佐神宮では新神体を六年ごとに奉造する。その時、旧神体をこの奈多に移す。このようにもともとは純粋に神官だった奈多一族も武士勢力が強大になると神領を守るため城を築き、兵を擁して万一に備えるようになったのである。

奈多鑑基は宗麟と馬を並べて城館大手門に入りながら、

「明日より行幸会にござりますゆえ今日はゆるりと御くつろぎくだされませ」

と言った。

大友家の名代として嫡男《ちゃくなん》が来るというので小さな城の周りは警護の兵がぐるりと取りまき、彼等の持つ薙刀《なぎなた》が無数の蜻蛉《とんぼ》の飛びかう秋の陽《ひ》に光った。城のすぐ真下は白浜になり、小さな鳥居の作られた褐色《かっしょく》の岩が二つ、うち寄せる波に洗われていた。

「御案内、仕ります」

しばらく休息をしたあと親賢が奈多社をみせるため迎えにきた。即座に入田親誠ほか斎藤、小佐井、津久見、田口の四人がきびしい表情でつき従った。海は城を出た途端、匂《にお》ってきた。奈多城の小さな大手門から正面の浜までを兵士たちが片《かた》膝《ひざ》ついて並び宗麟の通りすぎるまで頭をさげた。自分が父の名代であること、やがては巨大な大友王国の統領になるのだという悦《よろこ》びと誇りが頭を次々とさげる兵の傍《かたわ》らを通りすぎる宗麟の胸をみたした。

後に慶長年間の大津波で社殿楼閣、悉《ことごと》く消滅したが、当時の奈多社は、本殿のほか舞殿、若宮を持ち、南端に「御の池」という池があったらしく建物の朱色が松林や海の色を背景に鮮やかに浮き出ていた。

巫女《みこ》の袴《はかま》をつけた少女が楼門の前で腰をかがめ、恭《うやうや》しく礼をした。

「わが妹にござります」

と先にたった親賢はふりかえって宗麟に教えた。

少女は大きな眼に好奇心をいっぱい光らせ、宗麟を見あげた。

「名は何と申される」

入田親誠が宗麟にかわってたずねると、

「やのと申します」

と彼女は利口そうにはっきり答えた。背後にこれも朱色の袴をつけ、巫女姿の温和《おとな》しげな娘がうつむいて控えている。この女はやのの侍女なのであろう。

「御覧くだされ、海を」

と田原親賢は鳥居岩の向うを指さした。遠くに大きな島がかすかに拡《ひろ》がっている。

「あれが四国の伊予《いよ》でござります」

「四国か。伊予が見えるか」

「このような日は滅多にございませぬ。若殿さまを海も悦んでお迎えしております」

浜に出て宗麟は伊予を眺《なが》めた。そして自分がほとんど会ったことのない次姉が伊予に嫁いでいるのを思いだし、

「姉者《あねじゃ》がおられる伊予か」

と宗麟は入田親誠にたずねた。

翌日はいよいよ行幸会である。

行幸会は八幡神が八ヶ社を行幸され、奈多社に御到着になるという儀式である。

朝はやく宇佐宮には田原氏の領民である安岐《あき》、武蔵《むさし》の者たちが千人ちかい行列をつくって待ちうけ、御神体を奉じた輿《こし》を中心にして田染《たしぶ》神社、白髭《しらひげ》大明神、朝来《あさく》八坂、掛樋《かけひ》宇佐田、瀬戸田唐見などをめぐり奈多社の北にある御馬松まで来る。

ここで奈多宮司の奈多鑑基が神官の装束姿で輿を出迎え、白浜にそった路《みち》を奈多社へと進むのである。

大友家の名代として宗麟も松林のなかで床几《しょうぎ》に腰かけ田原親賢や入田親誠たちとこの行列を待った。

「ただ今、御神体、牛頭の宮を御出発、はしの仮殿に向うております」

次々と男たちが息をきらせ駆けてくると、行幸会行列の進み具合を大声で告げる。

「まもなく御馬松に御到着」

長く待たされたあと笛や笙《しょう》の音が遠くから聞えた。奈多社の舞殿からも装束姿の男たちが笛をもってこれに和した。

行列が近づいた。昨日、出会ったやのと侍女とが朱の袴で先頭にたっている。海の波音が急に高くなったような気がする。

波のうち寄せる音と笙の音。宗麟は行列の先頭だけを注目していた。

昨日もそれとなく思ったのだが、やのの侍女らしいほっそりとした少女の顔が記憶にある母のそれに似ている。母が若かった時、この少女のような容貌《ようぼう》をしていたのか、と思う。

（あの女の名は？）

と宗麟は田原親賢にたずねたかった。しかし大友家の嫡男ともあろう者が、大事な儀式中にそんなはしたないことを訊《たず》ねるわけにはいかなかった。

奈多社の若宮に御神体は安置されると午後は親賢が言った通り浜で神楽《かぐら》が演じられた。神社に面した浜は応神天皇が全国御巡幸の折に御着岸になった場所と宇佐八幡の御託宣にある。海に突出した赤褐色の岩は市杵《いき》島とよばれ注連《しめ》を張り、鳥居をたてている。その市杵島は宇佐宮の御祭神の一つ、比売大神《ひめおおみかみ》の発祥の霊地ともなっている。神楽は浜を舞台にみたてて応神天皇御着岸をことほぎ、比売大神を崇《あが》める珍しいものだった。

時折、笛や笙は海の風と波音とに途切れた。冠をかむり榊《さかき》を手にしたやのたち神女《みこ》の朱袴が浜の白さのなかで眼にしみた。宗麟はやのの侍女を見てやはり母に似ているとまた思う。正面の光る海があの思い出をそこに重ねたのかもしれぬ。

天文十五年、宗麟は十七歳になった。この年、彼は公卿《くぎよう》たちのやる蹴鞠《けまり》を府内に滞在した公卿、飛鳥井《あすかい》雅教《まさのり》から習っている。

優雅な蹴鞠の遊びは武技の不得手な彼にも面白かった。

（武辺に生れるよりは都の公卿に生れたかった）

と彼は時折、本気で思うようになった。

この年、大友館《やかた》で父から婚姻《こんいん》の相手を告げられた。いつもと同じように同紋衆と重臣とが陽の届かぬ広間に仏像のようにずらりと並んでいた。仏像のようにその表情も動かない。

「将軍家よりの御厚情に従い、将軍家御血縁である一色《いっしき》義清殿の御息女を当家にお迎え致す」

と父の義鑑はいつものように毛ほども感情のこもってない声で言った。居並ぶ同紋衆も重臣にも異存なかったが、これは既に彼等が協議した結果だったからである。

父から自分の婚約を告げられた時、ふっとまぶたに奈多《なだ》神宮で会ったあの母に似た娘の顔がかすめた。もちろん身分が違うあの娘を嫁にするなど不可能である。その上、大友家嫡男であるとはいえ、彼の運命は自分では決められぬことも宗麟は既に、教えこまれていた。足利《あしかが》将軍の血縁を大友家に迎えることとは大友家と足利家とを更に結びつける。父の義鑑は九州探題職に任じられることを熱願していたから、この婚約も布石の一つにちがいなかった。

「この婚儀、父上のお役にたつのか」

と宗麟は親誠にたずねた。

「お役にたつと申しますよりは……」

と親誠は正面をきっとむいたまま少し苦しそうに、

「大友家には代々、長門の大内氏より御正室を迎えた例が多うございます。さればあらかじめそれをお断りするために御同紋衆たちがこたびの御縁組をお考えになったと存じます」

「同紋衆は大内家を嫌《きろ》うておるのか」

「今こそ弓矢をまじえておりませぬが、大友家は大内家とたびたび戦うて参りました。できれば大内家の血を受けられた方は御一族より遠ざけたいお考えの方もおられましょう」

「たとえば、いずれの方か」

「お家形さまも御同紋衆の何人かも……」

親誠は眼《め》をそらしたままである。彼が眼をそらした時は大友家中の複雑な事情と秘密とを洩《も》らす場合だった。

「大内家の血を受けた者は……遠ざけると申すのか」

不安で宗麟の声はかすれた。

「わが母も大内家より迎えられたが……」

「されど……」

と親誠はうつむいた。

「御末弟の塩市丸さまは御異腹ゆえ、大内家とは血がつながりませぬ」

親誠が唾《つば》の溜《たま》った口に出さなかったこと——いや、口に出せなかったことを宗麟の鋭敏な神経が捉《とら》えた。

「父上は塩市丸に大友家を継がせられるお心か」

「存じませぬ」

「申せ。申してくれ」

「では申しあげます。若君のお住居はこの府内より別府に移されるという噂《うわさ》もございます」

「別府に？　誰がきめた」

「お家形さまと……塩市丸さまの御母上と……。もとより噂でございます。真偽のほどを今、探らせておりますが」

天文十八年、宗麟は二十歳になった。

後に彼と親しく交った宣教師たちが書いているように「元来、体質が虚弱な」彼はたびたび病気をしたが、この年の冬も感冒にかかった。

風邪がやっと癒《い》えた頃《ころ》、都から宗麟の室となる一色家の息女が府内に到着した。その対面の儀式が大友屋敷で行われ、息女が侍女たちと退出したあと義鑑はいつになく宗麟を見つめつづけ、

「顔色がまだすぐれぬぞ」

と居ならぶ同紋衆にも聞えるように、

「それでは向後のことも覚つかない。しばし浜脇《はまわき》に参り、養生致せ。その間、一色家の御息

女は府内にお住いになる」

その言葉をきいた時、宗麟の体はかすかに震えた。

浜脇は別府にある。いつか入田親誠《にゅうたちかざね》が予告していた通り、父は自分を別府に移して廃嫡になされるお心だという想念が頭にひらめいた。

宗麟と供の者とが屋敷を退出したあと、義鑑は入田親誠をよんだ。

「五郎（宗麟のこと）は家督を継げると思うか」

入田親誠は畏《かしこま》って答えた。

「わかりませぬ」

「わかりませぬとは如何《いか》なることとか」

「あのように若君はお体弱く、また弓馬の稽古《けいこ》よりも歌や蹴鞠《けまり》を好まれます。されば武門の頭《かしら》としてはまだまだ御力量足りませぬが、しかし御一門の御統領としての御品格は充分にございます」

親誠の返事はどちらとも取れる曖昧《あいまい》なものだったが、決して間違ってはいなかった。

「八郎（次男、晴英《はるふさ》のこと）や塩市丸とくらべ、どう思うか」

「塩市丸さまはお小さいながら……御利発と聞いております。しかし……八郎さまのことは身どもにわかりませぬ」

親誠は困ったように口に唾をため、言葉を濁した。この男の武骨と実直さがその言いかたに現われているようだった。

夕方、まだ臥《ふ》せていた宗麟は待ちかねたように戻ってきた親誠に、

「別府にて養生せよとのさきほどの御父上のお言葉、余を廃嫡されるためであろうか。父上はどのように仰《おお》せになられた」

「それにつき一言も洩らされませぬ。お心のうちをお見せになるお方ではありませぬ」

宗麟は家臣たちの前では自分の本心を決して面《おもて》にあらわさぬ父親を考えて、親誠の言う通りだと思った。

「ただ……」

「ただ、何か」

「若君さまが御家督を継げると思うか、と申されました」

瞬間、宗麟は怯《おび》えたような眼つきをした。

「更に八郎さまや塩市丸さまとくらべ、どうかともお訊ねでございました」

「親誠は何と申しあげた」

「親誠一人では何とも答えられませぬ。大友家の家督をお決めになられる大事の儀は、お家《や》形《かた》さま、同紋衆、御重臣衆の御評議で決まるのでございます」

「余は嫡男である。それを」と宗麟の声はかすれ割れていた。「廃嫡できるのか」

親誠は黙ったまま頭をさげ寝所を退出していった。

煙たくはあったが、長い間、誰よりも身近に感じてきた入田親誠にまで突き放された思いで宗麟は床にうつぶした。

廃嫡され、弟の晴英や、いや、つめたい眼で自分を見たあの女性の産んだ塩市丸のいずれかが世嗣《せいし》となり、彼等の指図に従わねばならぬ屈辱感が全身を走った。そのくせ一方では彼はそういう地位から離れ、歌道や文学の世界を楽しむ身分になることにもかすかな悦《よろこ》びを感じた。

天文十九年二月、大友屋敷の出仕から宿舎の長浜神社に戻った阿蘇《あそ》惟豊《これとよ》は夕景、娘婿《むすめむこ》である入田親誠とひそかに話しあった。惟豊は現在の熊本県上益城《かみましき》郡一帯に勢力を広く持った阿蘇神社の大宮司である。神官であると同時に奈多神社の奈多氏と同じように兵を養い、岩尾城という城砦《じょうさい》をかまえ、平生は浜の御殿と土地の者がよぶ館に住む領主でもあった。

既に燭《しょく》を点《とも》さねばならぬ時刻だったが、部屋を包んだ薄暗さが痩《や》せた舅《しゅうと》と筋肉質の婿との密談にふさわしかった。

「やはり長うおそばに仕えました身だけに、気落ちされたお姿をみるとこちらの心もふさぎまして」

と親誠は宗麟のそばにいる時とは別人のように力なく溜息をついた。

「さもあろう。だが、そのごとく気が弱うしては、この大事はどうなる」

と惟豊は婿の本心を探るように落ちくぼんだ眼で親誠を見つめ、

「菊池義武《よしたけ》さまが兄者のお家形にかわって豊前《ぶぜん》、豊後《ぶんご》の統領になられる大事ぞ」

「承知しております」

「手筈《てはず》も充分に整うておる。義武さまは府内に乱が起るや否《いな》や機を逸せず、ただちに肥後、筑後《ちくご》の兵をあげられる」

惟豊に仕える男が二人、燭を運んできた。虫がなくのをやめるように阿蘇惟豊も入田親誠も口をとざして暗く冷えた庭に眼をそらせた。燭台の炎は蛾《が》の羽のように動いた。

小者たちが姿を消すと、瘦せて痛む膝《ひざ》をさすりさすり大宮司は入田親誠と低い暗い声で会話を続けた。義鑑《よしあき》にたいする謀反《むほん》計画である。

計画の奥に義鑑の弟、菊池義武がかくれている。

もともとこの肥後の菊池家は豊前の大友家とは南北朝の頃から南軍、北軍にわかれて争ってきた。それは義鑑の父義長《よしなが》の時代にまで続いたが、この義長は次男の菊法師丸を無理矢理に菊池家の家督にすえることで一応争いに終止符をうった。

だが成人して菊池義武と名のった菊法師丸はなぜか大友家の家督を相続した兄を妬《ねた》み、天文三年、宗麟が五歳の頃、周防《すおう》の大内義隆《よしたか》と組んで反乱を起し、玖《く》珠《す》郡で義鑑に大敗した過去がある。

以来、十六年。

菊池義武は叛意《はんい》を胸にひめて機を狙《ねら》った。そして今回は正面から戦を挑《いど》むのではなく兄を謀殺する計画を隠微に綿密にねった。菊池家を中心とする肥後衆たちの結束の強さと強情さとがここでも働いた。おなじ肥後の阿蘇惟豊も婿の入田親誠もその計画に参加している。

彼等は義鑑を直接的にではなく、何も知らぬ他の者たちの手を使って殺すことを企《たくら》んだ。このため、利用されたのが豊後海部《あまべ》郡に本貫《ほんかん》を持つ四人の大友家重臣である。

もともと豊後の東部海岸に住む漁業集団は大和朝廷の頃から「海部」とよばれた、貢物《みつぎもの》を朝廷に奉《たてまつ》った歴史を持つが、やがて大友家が九州に来ると家臣団に編入され、主として海上警備の水軍として働いた。

この海部郡出身の斎藤播磨守《はりまのかみ》、小佐井大和守《やまとのかみ》、津久見《つくみ》美作守《みまさかのかみ》、田口新蔵人《しんくらんど》が罠《わな》を仕掛けられた四人である。彼等の経歴については久多羅木《くたらき》儀一郎氏が調査発表されているが、古文書を通して四人とも「北海部郡内に本貫を有し、あるいは縁故ある諸氏」という以上に詳しいことはわからないようである。

三日前、阿蘇大宮司として府内に出仕した阿蘇惟豊は大友屋敷で義鑑の謁見《えっけん》を受けた。老獪《ろうかい》な惟豊はいかにも阿蘇山の外は知らぬ田舎者を装い、屋敷の庭をみては声を出して感嘆してみせ、酒を与えられると畏って盃を頭上に捧《ささ》げ、素朴《そぼく》な老人の役を演じた。

義鑑はそのため心を許し、小姓が座をはずした時、いかにもさりげなく、

「肥後の弟には別状はないか」

と菊池義武の様子を不意にたずねた。

彼としても弟がしばらくは息をひそめているが自分に不満と妬みとを抱いていることを承知していたからである。

質問をうけた老人はその時、肉のない頬《ほお》に半泣きのような表情をみせた。

「如何《いかが》した」

いつもは本心を相手に見せぬ義鑑はこの時、顔色をかえ、きつい声をだし、

「何か動きがあるか、義武に」

迂闊《うかつ》にも露骨な質問を口に出してしまった。統領としてしてはならぬことである。

瞬間、驚愕《きょうがく》の色が老人の眼に走った。

「申せ、何を知っている」

やがて阿蘇惟豊は歯が一、二本ぬけた口を動かし海部衆の四人が近頃、しきりに菊池義武と連絡をとりあっているが、それが何であり何のためかはわからぬとぽつり、ぽつり答えた。

当惑げに呟《つぶや》いている老人の顔が逆に真実味を与えた。

その上、義鑑が統治上、最近、頭を悩ましていることがあった。それは家臣団のなかの派閥争いが激化したことである。九州という地方性にもよるが郷土、血統、家柄《いえがら》を同じくするものの結束が強く、何かあるごとに対立が表面化してその葉や幹を切っても切っても根だえ

ない。

特に大友一族六十二家と直臣《じきしん》とから結成されている同紋衆にたいし、他紋衆（大友氏が豊後にくだる前からここに土着していた国衆）との間には眼にみえぬ競争心があった。ひそかな不快感もかくれている。そしてそれが時には露骨な反目となってあらわれる。

宗麟が生れた享禄《きょうろく》三年の春、こんな事件もあった。大友屋敷の重臣の休息所では帳面にそれぞれの名前が記されている。ところが、ある日、何者かがそれらの名前をひとつ、ひとつ墨で消していた。

笑ってすませてもよいぐらいの悪戯《いたずら》だが、同紋衆の若侍たちは、これは他紋衆たちの嫌《いや》がらせだと激昂《げっこう》した。彼等は直ちに府内の市《いち》の町に邸《やしき》を持つ他紋衆の有力重臣二人に攻撃をかけ、両名をしばし戦闘の後に自決させた。

そういう対立、反目の感情が潜在しているだけに、阿蘇惟豊が洩らした四人が菊池義武の口車にのりなにかを企むこともありうる――

――義鑑の心に大きな鳥の翼がかすめた時のように疑惑の黒い影が動いた。

だが、一瞬の後には彼もとり乱した心を即座にかくし、例の無表情に戻り、

「この儀、決して他言ならぬ」

と惟豊に厳命をした。

惟豊は推移《いきさつ》を親誠にうち明け、

「うつべき手はうったぞ。あとは成り行きを待つのみよ」

と語った。


二日後、義鑑は四人の海部衆を呼んでいる。

突然の指図を訝《いぶか》しく思いながらも四人は大友屋敷に出かけた。義鑑の居館の大手門には遠《とお》侍《さぶらい》と呼ばれる守衛所があった。詰めていた役人たちが恭《うやうや》しく礼をしたし、四人は身の危険など夢にも感じなかった。

義鑑もいつもの無表情な顔で四人の控えた部屋にあらわれ、黒びかりのする床にあぐらをかいた。

陰暦二月の一日でつめたい、そして空の曇った午後である。

しばし雑談をかわした後に義鑑はまったく感情のこもらぬ声で、

「肥後の義武につき、なにか耳に致さぬか」

突然の質問に四人はおし黙り、しばしあって斎藤播磨守が、

「はて、一向に聞きませぬが、何か」

とたずねた。

「ならばよい。義武が周防の大内と組み、また何ごとか企《たくら》む気配ありとの噂《うわさ》もあるゆえ……」

とひとりごとのように呟いた。

沈黙がしばらく続いた。義鑑は雪でもふりそうな庭に眼《め》をやって、視線をそらせたまま、

「五郎の亡《な》き母は大内義興《よしおき》の女《むすめ》ゆえ五郎や八郎があとを嗣《つ》げば、なにかと家中面倒となろうな」

とこの時も自分に言いきかせるように言った。四人は黙っていた。

「だが幼き塩市丸は兄たちと違うて、大内の血は受けついではおらぬ」

と義鑑は呟いたまま、また視線をそらせている。

「五郎さまを廃嫡《はいちゃく》になされる御所存にございますか」

と斎藤播磨守はたまりかねて声をだした。

四人の顔色が変っているのを義鑑は見逃さなかった。律儀《りちぎ》な斎藤播磨守は姿勢を正して、

「御再考……なされませ」

「不服か」

「御同紋衆たちのお考えがそれでございますか」

と今度は津久見美作守が上ずった声をだした。

「ほう、そちたちは他紋衆ゆえに余や同紋衆の考えには納得しかねると申すか」

と義鑑はひくいが強い声でたずねた。そして、

「この話もうよい」

と談合をうち切ってさっと立ちあがった。

二月の、まだ冷えた城外を四人は黙ったまま大手門にむかった。門の遠侍では役人がまた彼等に恭しく頭をさげた。

大友屋敷から離れてもう誰にも聞かれぬとわかった坂道で小佐井大和守が石段にたちどまり、

「お家形《やかた》はいかなるお考えで我らを呼ばれたのであろうか」

と三人にたずねた。

「さて、身どもも解《げ》せぬ」

と津久見美作守は首をかしげ、

「お言葉の通り、肥後の菊池義武さまにつきよからぬ噂を耳にされたのであろう。それにしても菊池義武さまはよくよく大友家に御遺恨があられるとみえる」

と答えた。

しかし邸に戻ってから彼は義鑑の無表情だが、迫ってくるような声を思いだして不意に恐怖にかられた。義鑑が四人に謂《いわ》れのない疑いをかけたのではないかと感じたのである。

彼が恐怖をおぼえたのは義鑑がかつて重臣の朽網《くたみ》親満《ちかみつ》に謀反の嫌疑《けんぎ》をかけ、今日と同じように大友屋敷に出頭を命じて、これを殺そうとした事件があったからである。この時、朽網親満は身の危険を感じいち早く逃亡した。

そういう昔の出来事も津久見美作守は思いあわせ、親しい田口新蔵人だけにこの気持をうちあけた。

五日おいて――

ふたたび四人に出頭の命令がきた。津久見と田口の両名は、

「ただ今、病に臥《ふ》して」

と断り、万一の場合に備えて、海部衆に理解のある臼杵《うすき》鑑速《あきすみ》に相談する一方、間者を大友屋敷のそばにかくし、様子を探らせた。

この日も寒かった。大手口をくぐった斎藤播磨守と小佐井大和守二人に先日と同じように遠侍の役人が恭しく頭をさげた。義鑑の住む館《やかた》は静まりかえっている。小姓があらわれ、正座している両人に、

「お家形さまはただ今公文所《くもんじょ》におられますゆえ、お知らせ申しあげて参ります」

と言った。

時間がたった。幾つかの足音がつめたい廊下の遠くから響き、それは部屋の背後で止った。板戸が両側から開くと同時に幾つかの刀がきらめいて、侍が数名、乱入した。立ちあがった二人は手で顔をかばいながら絶叫した。

「お家形の指図か」

小佐井大和守に続いて切られた斎藤播磨守の血が板戸に飛んだ。

屋敷内のただならぬ様子を間者から知らされた津久見、田口の両名は、

「必ず討手が参る」

と恐怖にかられ、

「ならばお家形と刺しちがえる」

破れかぶれの思いで詰所のある大手口側からではなく、北東の矢取坂から屋敷の裏門に突入した。

義鑑の居館は二層である。二層に塩市丸とその母との居室や二人の娘、侍女たちの部屋があった。

半狂乱になった津久見と田口とは、驚愕して塩市丸の手を引き逃げようとした母親を見ると、

「姦婦《かんぷ》」

と叫びながら突き刺した。刀は塩市丸の体を貫き、母の胸を刺した。

更に転ぶように逃げる義鑑の二人の娘と侍女たちとをわめきながら次々と切りつけた。

津久見美作守は返り血をあびたまま、義鑑の部屋である「桐《きり》の間《ま》」に向った。近習たちが狼狽《ろうばい》してかけつける直前、津久見は体当りで義鑑を壁に押しつけて短刀で胸をふかく刺した。

このあと、近習たちと乱戦。

壁も戸も血が飛び散った中で、津久見も田口も近習たちに囲まれて斬殺《ざんさつ》される。


大友屋敷は大混乱となった。屋敷周辺の邸から知らせを受けた同紋衆や重臣たちが次々と坂を小走りに駆けあがってくる。なかには殺された津久見と田口から事の経緯を聞いていた臼杵鑑速がもちろん入っていた。

胸を突き刺された義鑑はまだ生きていた。血の海となった桐の間に塩市丸とその母や義鑑の二人の娘と侍女たちの死体が転がり、眼もあてられぬ惨状である。廊下にもおびただしい血が帯のように流れ、津久見、田口がうつぶせに倒れていた。

「気をお確かに、気をお確かに」

と義鑑の枕《まくら》もとで同紋衆たちが口々に叫んだ。

「早馬を別府の五郎さまに走らせました。府内の節所《せっしょ》、すべて、きびしく固めました」

義鑑はこの時も表情なく同紋衆の顔をうつろに見ていた。無表情というより口を開く力もないためらしく、かすかにうなずいただけだった。

別府で知らせを受けた宗麟はしばし物も言えなかったが、やがて震え声で、

「大丈夫かここは」

とたずねたのが第一声だった。

「御安心くださりませ」

と知らせに駆けつけた臼杵鑑速の使者、臼杵治元は、

「間もなく、佐伯惟教《さいきこれのり》さまが軍勢と共に参られます」

と告げた。

だが宗麟の動揺はまだおさまらず、

「佐伯惟教とて裏切るやもしれぬ。あの家は父上により一度はうち亡《ほろ》ぼされている」

と首をふった。そして別府の東北方、南立石の山に逃亡することを主張した。

彼には入田親誠《にゅうたちかざね》がなぜ駆けつけてくれぬかがふしぎだった。こういう一大事に入田こそ手の者をつれて宗麟を守りにきて然《しか》るべきである。だが臼杵治元は後に二階崩れの変と言われたこの事件の真相がわからぬうちに浜脇《はまわき》に早馬を飛ばしてきたので、その間の事情をまだ知らなかった。

事件後、四日たって、佐伯惟教がやっと兵を率いて別府にあらわれ、

「お迎えに参上仕りました」

と恭《うやうや》しく宗麟に頭をさげると、

「余は府内に戻れるのか。父上の御指図か」

宗麟がまだ震えた声でたずねた。惟教は、

「お家形さまは……昨夜、亡くなられました」

と静かに答えた。

黙っていたが、宗麟はふしぎに悲しみが胸に起ってこない。父は彼に父らしい愛情らしい愛情をほとんど示してくれなかった人である。心に存在する親らしい親は母親だけである。

「親誠は如何《いかが》いたした。なぜ入田親誠は参らぬ」

宗麟の質問に惟教は眼を伏せ、

「入田親誠は府内より肥後に逃亡いたし……」

と説明した。

親誠は津久見《つくみ》と田口の口から既に事情が臼杵鑑速に洩《も》れていたのを知ると、身の危険を察知してただちに府内を脱出して彼の本貫《ほんかん》である肥後、直入郡入田郷の城に逃げたのである。

「親誠が……」

「お家形さまは亡くなられる前、阿蘇惟豊《あそこれとよ》と入田親誠を吟味せよと……お指図なされました。

親誠は阿蘇惟豊の婿《むこ》にございます」

宗麟は茫然《ぼうぜん》とした。長い間、身近にいて教育してくれた男、口に唾《つば》をためながら小言ばかり言ったが武骨そのものの男。宗麟には彼は口うるさい教育係だったが、いつか父からは充《み》たされぬものを、この男のなかに求めるようにもなっていた。

その入田が逃亡した。少くとも宗麟を見棄《みす》てた。

(信じられぬ、誰も信じられぬ)

後年、宗麟の心の奥底に黒い深い洞穴のようにつちかわれた人間への不信の感情がこの時、植えつけられた。何も信じられず、誰も信じられぬという種がこの日にまかれた。

二十日、佐伯惟教に守られて宗麟は府内に戻った。

惨劇のあった大友屋敷では同紋衆、重臣たちが大手口の両側にずらりと並んで宗麟を迎えた。彼等の談合協議の結果、宗麟を義鑑の後をつぐ大友家の統領として認めていたのである。

「事の事情はとも角」

と館内の公文所で田北大和守《たきたやまとのかみ》が事件の推移《いきさつ》をあらためて説明した後、談合によって決められたことを報告した。

「津久見美作守《みまさかのかみ》と田口新蔵人《しんくらんど》との儀、義鑑さまにたいし慮外の企《くわだて》にございますゆえ、府内の邸をとり潰《つぶ》し、知行本貫を取りあげることに致しました。更に入田親誠には戸次伯耆守《べっきほうきのかみ》、斎藤兵部少輔《ひょうぶしょうゆう》に討伐をお家形さまのお指図として命じおきました」

お家形のお指図とは言いながら、既にやらねばならぬことは決定していた。宗麟はその決定を認めるだけでよかった。

そのあと、重臣たち数名と共に父の殺害された館の内部を見てまわった。廊下の血痕《けっこん》はふき取られていたが、血の海だった桐の間にはまだ黒い染《し》みが板戸のあちこちに残っている。

「ここにて義鑑さま、お倒れになられました。ここにて塩市丸さまと小少将さま、御妹君お二人……」

話をききながら宗麟はこの惨劇がもしなかったならば自分はおそらく家督を継げなかったのだと思った。

父の死が宗麟に大友家後継者の地位を与えたのである。その意味で彼は津久見、田口の両名の行為と決して無関係ではなかった。胸をみたしている解放の悦《よろこ》びと満足感とのなかには父の死を悦ぶものがかくれていた。

それに気づいた時、宗麟は何ともいえぬ嫌悪《けんお》を胸の奥底に感じた。

更に――

田北大和守は義鑑が息を引きとる前夜、苦しい息のなかで右筆《ゆうひつ》に書かせた「置文《おきぶみ》」を宗麟だけにそっと見せた。置文は宗麟にあてて大友領国の統治方法を書いたものだったから、同紋衆、重臣にもかくさねばならなかったのである。
一、当国、別して（とりわけ）治世、覚悟を入るべき事
一、上下共に邪正の儀、能々紏明《よくよくきゆうめい》あるべき事
一、日田郡の事、先《ま》ず以《もっ》て今の如《ごと》くたるべき事
一、立花城、取るべきや否《いな》やの儀、能々《よくよく》思慮あるべき事

その一つ一つに眼《め》を走らせながら宗麟は父がはじめて父らしく嫡男《ちゃくなん》の自分に語りかけているような気がした。父には宗麟にたいする愛情が欠けていたのではなく、それを面《おもて》に出さぬよう努めていたのではないかとさえ思った。

だが、宗麟の心には父の死にほっとする何かがある。

（今度《こたび》の出来事で誰も信じられぬと思ったが）

家来たちの前で沈痛な表情を装いながら宗麟は他方でおのが心の表裏を感じた。

（他人《ひと》だけでなく、この自分も信じられぬではないか）

とぼんやり考えた。生きることは、もうそれ自体で罪業《ざいごう》の臭《にお》いを持っているのだ。

入田親誠は府内から故郷である入田郷に逃げた。

府内からは親誠を逮捕するため戸次伯耆守たちの率いる軍勢が迫ってくる。親誠一族の拠《よ》る小さな城ではとてもこれを防ぎきれぬ。

府内でのお家騒動と共に蹶起《けっき》して反乱を起す筈《はず》だった菊池義武《よしたけ》に彼は救いを求める急使を出した。

しかし義武からの回答は愕然《がくぜん》とするほど冷たかった。

「今度《こたび》の慮外の儀、是非なく候《さうら》へども、当方には関《かかは》り無き事に候へば……」

つまり大友屋敷での事件は菊池家とは関係がないから、親誠たちを引き受ける筋はないと突っ放したのである。

親誠の末路については三つ説がある。ひとつは覚悟をきめた親誠は故郷の津賀牟礼《つがむれ》城に入ったが、城を包囲した大友軍から、

「自決せられよ」

と迫られ、弟の入田親宗に介錯《かいしゃく》させて腹を切ったという説。

もう一つは津賀牟礼城で大友軍と戦った後、敗れて支城の小松尾山に逃れ、自害したという説。

しかし「大友家文書録」に収められている宗麟自身の書状をみると、親誠は溺《おぼ》れる者、藁《わら》をもつかむ気持で津賀牟礼城から西の山岳をこえ、舅《しゅうと》の阿蘇大宮司、阿蘇惟豊のもとに逃げている。

途中、彼は自分の城に近い岡城の志賀親守《ちかもり》に身を寄せようとして体よく拒絶された。疲れきった親誠たち一行は現在の熊本県上益城《かみましき》郡の矢部町にあった惟豊の館《やかた》にたどりついた。

余談だが謡曲「高砂」を御覧になった方はこの阿蘇宮の神主友成《ともなり》を憶《おぼ》えておいでだろう。世阿弥《ぜあみ》の筆に登場するほどこの阿蘇神社は当時、阿蘇一帯で勢力を持った神宮だった。そしてその祭司、阿蘇氏も南北朝の折、二つに分れたが北朝側に属した阿蘇氏は矢部に館をかま

えて三代目の惟豊の頃《ころ》が全盛期だったと言う。

館は「浜の御殿」「浜の御所」ともよばれたが埋れたこの居館跡に、戦後、建てられた矢部高校改築の折、遺構と共に多くの遺物が発見されてニュースになった事がある。

それだけに府内を脱出した親誠にとっては舅である有力者阿蘇氏の庇護《ひご》だけが最後の頼みの綱だった。

だが、共に菊池義武の謀反《むほん》に参加する筈だった惟豊は府内での密談の折とはがらりと態度を変え、

「ここに参られるとは煩《わずら》わしき所業かな」

と肉のそげた頰《ほお》に冷酷そのものの表情をうかべた。惟豊としては事が発覚し失敗したからには婿のために大友家の疑いを受けたくなかったのである。そして、

「武辺たる身は、志破れたる上は、潔《いさぎよ》う覚悟するものよ」

と突き放し、親誠を憤激のなかで自刃《じじん》せしめた。惟豊は婿の首を府内に送ることで大友家への服従を示している。

親誠の首を見た宗麟は、長い間、自分を教育してくれた男の髪ふり乱し蠟色《ろういろ》に変った死顔に、人間への不信を改めて感じた。武骨そのものに振舞った親誠の心にいつ面従腹背の気持が芽ばえたのだろう。それとも彼はその気持を最初からかくしつつ、宗麟の教育係になったのだろうか。口に唾をためて常に小言を言っていたあの声がまだ耳に聞えてくる。

「御自分をお守りになるのは、御自身でございますぞ」

公文所《くもんじょ》、記録所、奥の蔵、細工所、小納殿など幾つもの建物の並んだ大友屋敷の一角には二階崩れの変のあった四ヶ月前から宗麟の室となるべき若い女性が侍女《にょしょう》たちと共に住んでいた。

彼女の実家は三河国吉良庄《きらのしょう》一色を本貫とする足利《あしかが》氏の一門、一色氏で父は一色義清である。

もちろん、この婚姻は宗麟の意志ではない。父の義鑑や同紋衆、重臣たちが決めた政策結婚である。事情は明らかではないが少なくとも将軍、足利氏と血のつながりある嫁を持つことは大友家にとって色々な面で有利だったことは確かであろう。

婚儀が行われるまで宗麟は一度しかこの娘を見たことがない。別府に赴く前に都から長い船旅をへて府内にくだった彼女を迎え、一族たちと対面の式を行った折である。

伴ってきた老女中や侍女たちに囲まれたこの娘は絵巻にも出てきそうな顔だちをしていた。義鑑の質問には彼女にかわって老女中が答え、娘は人形のように頭《こうべ》をかがめたり、手をついたりするだけだった。

愛情が生れるには時間もなかった。対面の数も少なすぎた。宗麟は彼女に同じ都育ちだった母の面影《おもかげ》を見つけようとしたが、むなしかった。ずらりと列席している重臣たちの背後に自分とこの娘とには関わりのない政治の幕がかぶさっているのを感じただけだった。そして娘も娘で自分に課せられた運命を素直に受け入れている——そんな表情をしていた。

三月十日、新しく大友家の当主となった宗麟は公文所の広間で最初の談合を開いた。

議題は入田親誠討伐に戦功あった詫磨《たくま》鑑秀や志賀親守たちに感状を出すことや、事件の背後にかくれ、入田討伐に参加を拒んだ菊池義武をどう懲罰するかなどだった。

「義武さまには今度《こたび》だけではなく、しばしば不穏の御行為をなされます」

と一万田《いちまだ》鑑述が提案した。

「この際、小原鑑元《おばらあきもと》を総大将と致し、志賀、吉岡、戸次の諸勢もこれに加え、義武さまを攻められてお世継ぎの御高名、領内に知らしめては如何かと存じます」

宗麟はうなずいた。すべての立案は同紋衆、重臣から選ばれた一万田たち奉行がつくってくれる。宗麟の役割はこれにうなずくだけでよい。

しかし、このうなずきには言いようのない重みがあった。当主となって広間の上段に坐《すわ》り宗麟は初めてこのうなずきの持った重みに快感を感じた。

(余は統領ぞ)

それと共に彼はこの快感のために何人もの男の血が流れねばならなかったことを思った。廊下に流れた父の黒ずんだ血の痕《あと》、阿蘇から送られた入田親誠の、髪ふりみだし蠟色になった顔。その顔には黒い穴のように黝《あおぐろ》んだ眼が二つこちらを見すえていた。

「お家形さまの御婚儀につきまして」

と一万田鑑述は次の議題に話を移した。

「お家形さま。御婚儀について申しあげております」

彼はひとりよそに何か思いにふけっている宗麟に念をおした。

その瞬間、宗麟は自分でも驚くようなことを口に出した。

「余は一色家の娘を……室には致さぬ」


（お断り）大友宗麟は生涯《しょうがい》でたびたび名を変えております。したがって他の人物とまぎらわしいので、宗麟という名で統一してゆくことをお断りします。（作者）

家形《やかた》となって

思いもかけぬ突然の発言に重臣も同紋衆も顔色を変えた。宗麟《そうりん》は沈黙し、重い空気が広間に拡《ひろ》がった。

「何と……申されました」

臼杵《うすき》鑑速《あきすみ》も愕然《がくぜん》として問うた。

「余は……」

と宗麟はたかぶった声を出した。神経質な彼が興奮していることがその声でよくわかった。

「一色家の息女を正室として迎えぬ」

「御息女をお迎えすることは既に亡《な》きお家形さまにおいても重臣の談合によっても決っておりまする」

「そうであろうがこの婚儀、とりやめたい」

と宗麟は強情にくりかえした。

臼杵鑑速は宗麟の我儘《わがまま》を抑えつけるように、

「なぜでございます」

眼前には黒ずんだ仏像群のように正座した重臣たちがじっとこちらを見つめていた。その圧迫感に、

(負けてはならぬ)

ともすると、挫《くじ》けようとする自分の弱気と宗麟は闘いながら頭を働かせた。

「一色家の娘を入れて、わが大友家に利があるか」

「一色家は将軍家と御血縁になられ、幕府においても四職《しき》家の一つにございます」

「父上が不慮の死をとげられ、肥後の菊池に謀反《むほん》の疑いある目前、大友領国の安泰こそ急務であろう。その安泰にかなうよう余の婚儀を改めて計ろうてよいではないか」

興奮が鎮《しず》まると同時に、ふしぎなほど説得力のある言葉が宗麟の口から流れ出た。

理由は何でもよかった。彼はただ同紋衆や重臣たちの前で生れてはじめて自分の意志を貫き通したかったのだ。彼等や亡き父が用意した航路に従うのではなく、自分の櫂《かい》で水路を切りひらきたかった。

理にかなったこの言葉に同紋衆も重臣たちもやがて動揺したらしく、ある者は互いに囁《ささや》きあい、ある者は茫然《ぼうぜん》として宗麟を眺《なが》めていた。

「わが大友家は三方に敵を持つと聞く。長門《ながと》、周防《すおう》の大内。薩摩《さつま》の島津。肥後にも事あらば謀反を企《たくら》む者は菊池義武《よしたけ》だけではあるまい。ならば余の婚儀も大友領内を堅めるようにとり

決めねばならぬ。将軍家の御遠縁とはいえ、一色家の息女を正室に迎えても当座の利とはならぬと思うが……」

無意識のうちに見くびっていた新しい家形がこれほど才覚があるとは同紋衆も重臣たちも考えていなかった。しかも言うことはたしかに筋が通っている。

困惑の沈黙が続いた。同紋衆の一人、一万田《いちまだ》左京大夫《だゆう》がやっと発言した。

「仰《おお》せの通りにございます。されど、お家形さまに然《しか》るべき御思案がおありならば」

「あとはそちたちに委《まか》せる」

と宗麟は咄嗟《とつさ》に言った。

「改めて余の正室となるべき女性《にょしょう》については談合されよ。一同が何人かを選び、その上で余が思案したい」

彼はこのあたりで同紋衆と重臣たちの顔をたてねばならぬと思った。無理押しをするよりはある線で妥協《だきょう》するのが得だと本能が囁いた。

このあと書院で彼は長い長い間、協議が終るのを待った。

脇息《きょうそく》においた手がまだかすかに震えているようである。とも角も意志を通しえたという悦《よろこ》びが胸に大きく拡がった。父や入田親誠《にゅうたちかざね》は既にこの世にいない。その父の命と引きかえに自分は大友家の家形となったが、なった以上は同紋衆や重臣たちの圧力を少しずつ制圧していかねばならぬ。それが家形としての最初の仕事なのだ。

既に夕暮だった。春の底冷えする部屋に端座していると、海の匂《にお》いがかすかにした。

(御覧《ごろう》じろ母上。五郎は今までの五郎と違《ちご》うてみせますぞ)

廊下の奥から跫音《あしおと》がひびく。長い談合が終ってやっと解答が出たにちがいない。

臼杵鑑速ともう一人、吉弘鑑理《よしひろあきなお》という大友家の遠縁にあたる若い同紋衆が次の間にあらわれ、正座をした。

「御意向承りて一同談合の上ここに御婚儀あって然るべき家門の名を列記いたしました」

と臼杵鑑速は恭しく奉書を頭上にかかげた。

幾つもの家名が列記されている。

大友一族六十二家之内《の》――

俣見《またみ》、城後《じょうご》、奴留湯《ぬるゆ》、塩手、田原《たわら》

緒方一族三十七家之内――

雄城《おぎ》、田尻《たじり》

これら家名を読みくだしながら宗麟には同紋衆と重臣たちの談合の光景が眼《め》に見えるようだった。自分たちの娘を大友家のあたらしい家形の正室に送るべくたがいに彼等があの薄暗い広間で牽制《けんせい》し、争っている光景が。

（勝った）

宗麟の意向に彼等が従ったのだ。家形の意志を認めざるをえなかったのだ。

勝利感を心にかくし、宗麟は無表情を装った。無表情を装った時、父も同じ顔をしていたと、ふと気がついた。

「田原とは」

と宗麟はさりげなく、

「国東《くにさき》安岐《あき》の田原親資《ちかすけ》の娘か」

「安岐城の田原殿には御息女はおりませぬが、御養子の親賢《ちかかた》殿に妹御がおられます」

記憶のなかから奈多《なだ》神社の白い浜と神女《みこ》の袴《はかま》の朱色が鮮やかに甦《よみがえ》った。次に浮かんだのは母の顔に似た少女である。あれは田原親賢の妹に仕えている侍女だった。

「親賢の妹ならば余も対面したことがある」

正直なところ母の面影《おもかげ》に似た少女にくらべ、田原親賢の妹はそれほど強く記憶に残ってはいない。眼が大きくきびきびとして気の強そうだったという印象があるだけである。

「田原氏は長いあいだ大友家に楯《たて》ついて参りました家にございますが……」

と臼杵鑑速は宗麟の気持が動くのを牽制するように、

「御祖父、義長《よしなが》さまの条々（家訓）にも田原は過去八代にわたり謀反《むほん》を企みしゆえ心許すことあるまじく、とございます」

「承知しておる」

田原氏が大友家にとって危険な存在であることは入田親誠《ちかざね》からもたびたび聞かされていた。父の義鑑《よしあき》時代にも田原親述《ちかのぶ》が同紋衆より不遇な他紋衆の不平不満を背景に反乱を企てたことがあるのだ。さいわいこの反乱は未然に発覚し事なきをえた。その後この田原親述は狡猾《こうかつ》にまるで何事もなかったように振舞った。いずれにせよ臼杵鑑速の言うように田原家はいつ大友家の寝首をかくかわからぬのだ。

「余は親賢の妹を正室に迎えたい」

と宗麟は微笑をうかべて答えた。

「よいか、田原家が大友家にとって心許してならぬ家門ならば戦うてこれを降《くだ》すか、あるいは血縁に引き入れて味方につけるか手だては二つしかあるまい」

臼杵鑑速と吉弘鑑理とはうなずいた。即座に宗麟は語勢を強めてたたみかけるように、

「鑑速はいずれをとるが上策と思うか」

「お家形さまの御存念、よう、わかり申しました」

「ならば田原親賢の妹を迎えよ」

宗麟は奉書を膝《ひざ》にのせた。二人の家臣は平伏して立ちあがった。彼等はただ神経質で武技に不器用な宗麟がただ者ではなかったことを改めて知った。

当時、大友屋敷に侍女として仕えて御子孫が現存しておられる今治家《いまばり》の女が晩年に語った思い出話を現代語に訳して次に掲げる。ちなみに今治家は大友家にあって代々、御旗奉《おはた》行所に勤めた。御旗奉行所は軍旗の保管はもちろん、旗竿《はたざお》に用いる竹林の保護を任務とした。大友軍旗の竹は氏神である柞原八幡《ゆすはらはちまん》や府内、春日宮《かすが》、そして津久見《つくみ》の阿閦《あか》八幡の竹林のものを使うと決っていた。

義鑑公御死去のあと、この事件の黒幕である菊池義武殿に府内は新しいお家形さまの御名で詰問状《きつもんじょう》を出されました。

詰問状の内容はもとより詳しくは存じませぬが入田親誠の討伐に手を貸さなかっただけでなく、諸方に逆心ほのみえる回状をまわしたことは解《げ》せない。悪心まざまざと見える。事の次第によっては戈《ほこ》を交えねばならぬが如何《いかが》か、と言うお怒りのものと聞いております。

詰問状にたいし菊池義武殿は従順の意を示すどころか、ただちに肥後、隈本《くまもと》城に入城し叛《はん》意《い》を見せました。

報を受けると大友屋敷では御重臣衆が集り、既に計画していた討伐軍の編成を協議致されました。

最初の計画は少し変えられて御重臣たちは討伐軍の大将は同紋衆のうちでも信頼できる、戸次鑑連《べっきあきつら》殿、吉岡長増《ながます》殿お二人をお選びになりました。

しかしお家形さまはあれ以来御側近になられた臼杵鑑速殿、吉弘鑑理殿を書院によばれて、

「はじめの通り、志賀親守《ちかもり》の軍勢も加えてはどうか」

とおききになりました。お二人は、

「実は岡城主の志賀親守殿につきましては」

と当惑された由《よし》でございます。

二人が困惑されたのも無理もございませぬ。入田親誠が府内から本領の津賀牟礼《つがむれ》城に逃れた折に頼りにしたのが血縁にあたる志賀親守殿でございました。

されば、志賀親守殿もあるいは菊池義武殿と気脈を通じるかもしれませぬ。そのような軍勢を攻め手に加えるのは如何なものかと臼杵鑑速殿が申しあげると、

「さればこそ志賀親守を使うてみたい。親守は逆に身の潔白を証《あかし》するため懸命に戦うであろう。人の心はな、そのように動くものと思うが」

とお家形さまは申されたそうでございます。後になって臼杵鑑速殿は何かにつけこの頃《ころ》のお家形さまはいつも家臣の心の動きを考えておられたとこの話を引きあいにされたものでございます。

この折の志賀親守殿の使いかただけではございません、お家形様は菊池義武殿配下の国衆、小代《しょうだい》家にも使いを送り、

「もし、我らに寝がえり、菊池義武と戦うならば、義武にかわり、肥後玉名郡五里四方を与

えよう」

利に弱い国衆の心も充分に利用なされておられます。のみならず、

「窮鼠《きゅうそ》はかえって猫《ねこ》を噛《か》むと申す。追いつめれば義武は死にもの狂いに逆うであろうゆえ、これと飽くまで戦うのは下策である」

とひそかに討伐軍の大将、戸次鑑連に、

「隈本城を崩し、義武を逃亡させた後、ただちに兵を還《かえ》すがよい。義武を必死にさせてはならぬぞ」

と申されました。

お指図通り戸次鑑連たちはお家形さまの調略によって寝がえった小代氏の兵と力をあわせ、菊池義武殿の軍勢をうち破り、義武殿を遠縁の相良《さがら》氏のもとに逃亡させると、ただちに帰還いたしました。

御重臣たちはこれによってますますお家形さまのみごとな策に感服しましたが、あのお方には別の御一面があることに、その時は誰も気づきませんでした。

と申すのは四年後、お家形さまはもはや力を失った菊池義武さまにわざと和議を申しこまれました。今は味方する者もない義武さまが剃髪《ていはつ》して僧となることを申し出られ、豊後《ぶんご》直入《なおいり》郡木原《きばる》(現在の竹田市城原《きばる》)の法泉庵《ほうせんあん》に入られますと、それをお許しになった後、ひそかに今度は人を送って殺害されました。お父上、義鑑公に謀反を起されたとはいえ、かりにも叔父

にあたられるお方でございます。しかも出家してもはや逆う力も失われております。それなのにお家形さまはこれを謀殺されました。殿がたたちには「戦国の世ゆえ当然である」と申されましょうが、わたくしのようにお傍《そば》ちかくお仕えする女には、一見弱々しげにみえるお家形さまに別の顔があるのを見たような気が致しました。

と申しますのはその頃、義武殿が法泉庵で殺害されたあと、お家形さまは美貌《びぼう》という評判の義武殿の御正室を府内におよびになり、ひそかに弄《もてあそ》ばれたと聞いたからでございます。

その時の模様は義武殿御正室の侍女が隣室で耳にしておりました。耳にしたのは義武殿御正室の哀願する、

「お許しくださりませ。それは……お許しくださりませ」

という声と「大友家家形である余の命《めい》に従えぬと申すか」というあの方の迫るお声と何かが倒れる物音でございましたが。

しかしわたくしは義武殿の場合といい、この出来事の場合といい、お家形さまの心には外見の思慮深さとはまったく違う、何か暗く複雑な面があるような気がしてなりませんでした。それはおそらく幼くして母を失われ、その後は孤独のなかでお生きになった長い歳月が作りだしたようにも思えます。

菊池義武殿を隈本城で破られた翌年、田原親賢さまのお妹を御正室にお迎えになりました。お妹さまは国東、奈多八幡の大宮司、奈多鑑基《あきもと》さまの御息女にあられます。

御正室さまが国東奈多から警護の武者にはなやかに守られて府内に参られます一ヶ月前、お気の毒にも大友屋敷にお住いなされていた一色家の御息女が府内から船にて去っていかれました。雨の降る日でございました。

お家形《やかた》さまは特別、別れの挨拶《あいさつ》も慰めのお言葉もおかけになりませんでした。大友屋敷でもこのことには誰も気がつかぬように口に出す者はありませんでした。まるで何事も起らなかったように皆が沈黙している静かな雨のなか、一色家の御息女と僅《わず》かな供とはひっそりと屋敷から堂尻《どうじり》川の川口に向われました。


正室矢乃《やの》を迎えて柞原《ゆすはら》八幡神社（現大分市上八幡）で荘重な婚儀がとり行われた。このあと大友屋敷にて宴《うたげ》が連日続き、能が催され、宗麟は正室とこれを観《み》た。

田原親賢の妹を婚《めと》ったことによって宗麟は先祖代々、警戒心を抱きつづけた田原氏を強力な後ろ楯にすることができた。

田原氏は北浦部衆と呼ばれる強力な水軍を持つ半独立的な勢力で、彼等がもし海を隔てた周防《すおう》の大内義隆《よしたか》の側に加われば大友家にとっては一大脅威となりかねない。それだけに同紋衆、重臣衆の当惑を押し切ってこの婚儀を行った宗麟の政治的決断に、

「おみごとな、なされ様よ」

と他紋衆の家臣たちのほうが今更のように痛快がり拍手を送った。

宗麟は得意だった。家形となって以後、熟慮に熟慮を重ねた末ではなく思いつきにすぎぬ発想が次々と意外なほど効果を現わしていく。長い間教育係の入田親誠に頭を押えつけられた彼の劣等観念《コンプレックス》が今は思いあがった優越感に撥《は》ねあがった。

もちろん、大友屋敷ではさまざまな政務の談合が開かれた。宗麟は父の遺言に従い同紋衆の重臣のなかから六人の「加判衆」を選び政務の中枢《ちゆうすう》機関におき、意見を聞くことにしたが、戦の経験も豊富で宗麟よりも年上の彼等の前でも、もう昔のように気おくれも臆《おく》する気持も感じないようになっていた。

一方、新妻が大友屋敷に住うと、屋敷のすべてが突然華やかになり、浮き浮きとした雰囲《ふんい》気《き》になった。

宗麟は足しげく新妻の住む木の香も新しい建物に行った。今まで男たちの汗の臭《にお》いの強かった西山の館《やかた》に住んだ彼には妻の新居に漂う女たちの柔らかい声や脂粉の匂《にお》いが好ましかった。

女たちの世界では武技の自慢や戦の功名を得意気に話す者はない。そのかわり宗麟はここで彼の趣味である連歌を作り、時には飛鳥井《あすかい》雅教《まさのり》から習った蹴鞠《けまり》をたのしむことさえあった。

新妻となった矢乃――彼女は奈多大神宮司の娘であるゆえに大友屋敷では奈多の上様、奈多の局《つぼね》とも呼ばれた――は利発そうな黒い眼で宗麟を見つめ、宗麟が新妻のために作った茶室で茶をたてた。

宗麟はそばにあの侍女がいつも侍《はべ》っているのを見た。矢乃が何も命じなくてもすぐに彼女が欲するように動き、世話するのは幼い時から奈多家で共に育ったからであろう。

（似てる）

と宗麟はあらためてこの侍女のうつむいた横顔をみるたびに思った。翳《かげ》をふくんだまつ毛の長い眼《め》は大内家の血を引く母のそれとどことなく似ている。

以来、宗麟は妻の住居を訪れるたび、その侍女にそっと視線をむけた。

「幸若舞《こうわか》と申す舞いを耳に致したことがあるか」

「存じませぬ」

「山口の大内義隆殿は殊《こと》にこの舞いを好んでおられるそうな。扇拍子、小鼓《こつづみ》、笛などの音曲にあわせてな……」

宗麟は家督相続の挨拶のため大内家に送った使者の報告をしゃべった。大内義隆は使者を接待して酒宴を催し、「志田、烏帽子折《えぼし》」という幸若舞を舞わせたという。

「されどその者の話によれば、義隆殿の住まわれる山口ではこのところなにやらとて、ただならぬ気配じゃと申す。大内家の重臣、陶隆房《すえたかふさ》がな、義隆殿の遊興の甚《はなはだ》しきを怒り、兵を起すという噂《うわさ》が拡《ひろ》がっている」

「大内家に謀反《むほん》が起れば、大友家は如何なされます」

矢乃は黒い大きな眼を好奇心にかがやかせて訊《たず》ねた。

「そなた、兵を送って大内を攻めよと申すのか」

「女には政《まつりごと》や戦のことは存じませぬゆえ」

「重臣たちのなかにもそのように申す者がいる。だが陶隆房も愚かではない。既に手を打って参った。大友家から戦を仕かけられぬために、わが弟、晴英《はるふさ》を大内家の新しき主人に迎えたいなどと申してな……」

と彼は茶碗《ちゃわん》を口もとに運びながら妻のそばで眼を伏せているあの侍女を見た。彼女にも自分の頭のよさを聞かせたかったのである。

大友家にとって親類でありながら、長い間、境界領国の争いを重ねてきた大内家では宗麟が家督をついだ天文十九年から内紛が起っていた。

原因は複雑だが一言でいうと当主、大内義隆の生活が奢侈《しゃし》にながれすぎ、そのために文治派と武断派とに家臣が分れたのが発端である。武断派の主謀者は陶隆房。蔭《かげ》に毛利元就《もとなり》という男の動きもある。

「同紋衆も今少し、この頭を働かせぬものか」

と宗麟はわざと溜息《ためいき》をついてみせ、

「あの者たちには陶隆房のこの申し出を悦《よろこ》び受けるべしと申した何人かがいる。さすれば余が九州、弟の晴英が周防と長門《ながと》との大守となり万々歳と考えているのであろう。だが毎度のことながら戦上手ばかり自慢にしている輩《やから》には人間の慾《よく》のありかた、心の動きなどわからぬ。晴英を大内家の当主に奉《たてまつ》りたしと申す陶隆房の下心、余にはありありとわかる。まず晴英を傀儡《かいらい》になし、蔭で思い通り操る所存であろう。されば余は加判衆、重臣の面々にもよう思案せよと申しつけた」

宗麟は得意げに妻たちを見まわした。

「加判衆とはどのような方たちでございますか」

ややあって何かを考えていた矢乃がたずねた。

「加判衆か。加判衆とは、同紋衆の数もあまりに多くなりしゆえに、その名代として公儀の談合、決裁を致す役目で亡《な》き父上の御遺言により余が作った」

「ただ今は、どなたさまたちがそれでございますか」

「たとえばな、臼杵鑑速《うすきあきすみ》、戸次鑑連《べっきあきつら》、吉弘鑑理《よしひろあきなお》……だが、それを聞いて如何する」

「わが兄、田原親賢《ちかかた》の名が入っておりませぬ」

突然、彼女は宗麟のほうに向きを変え、きちんと両手を膝《ひざ》においた。

「なぜ、でございますか」

宗麟はあまりの唐突さに狼狽《ろうばい》した。この女が――夜になると彼の腕の下で長い黒髪の端を口にくわえ、眼をしっかり閉じ、まるで苦しみに耐えるように夫の肉体を受け入れる女が、予期しなかった言葉を口に出したからだった。

「わが兄ならば陶隆房の心などすぐ見ぬきます。他の方々よりもお家形さまのお役にたちましょうに。……それに大友家の安泰も田原家を柱のひとつとなされたからでございませぬか」

宗麟は妻がこれほどはっきり物を言う女だとは知らなかった。少女の頃、神女《みこ》の朱袴《しゅばかま》をはいてあらわれた彼女は眼の大きな勝気そうな娘という印象だったが、その性格が消えるどころか更に強まって露骨なまでに今の言いかたに表われていた。

宗麟は横をむいて返事をしなかった。

八月、大友屋敷は騒然となった。

漠然《ばくぜん》と予期していたことだが大内義隆にたいし陶隆房が遂に謀反を起したという第一報が入ったからである。

他家の内乱とはいえ、境界を接する大友家にとっても影響は大きい。大内家と大友家とは長年、豊前《ぶぜん》と筑前《ちくぜん》の領有権をめぐって争ってきた宿敵だったからである。

早馬は次々と府内に駆けこんできた。第二、第三の情報が伝わってくる。

それによると――

この八月二十九日、昼頃、突如として陶隆房とその味方は大内家の統領、大内義隆を山口の法泉寺に襲い、ために義隆とその嫡男《ちゃくなん》とは暗夜にまぎれて長門に逃げたという。

義隆は更に長門の岩永から大津郡の仙崎《せんざき》に逃亡、大寧寺という禅寺の方丈で、押し寄せてきた陶の軍勢に囲まれながら自刃《じじん》した。義隆につき従った僅かな供の者の何人かは方丈に火をかけ、主人の首級が敵の手に渡るのを防いでから討死をしたという。

大友屋敷に続々とつめかけた同紋衆、重臣衆にこれらの情報を知らせるのは加判衆に任命された臼杵鑑速たちである。

談合は長く続いている。だが宗麟は書院で一人、庭を凝視して何かを考えていた。心は義隆の死に動揺していて、荒々しい素足の音をたてて小姓が襖《ふすま》のかげに近づいて片膝つく気配さえ気づかなかった。

「弟君晴英さまが、お目通りを願われております」

彼は沈鬱《ちんうつ》な想念からさめた。晴英がなんのために会いにきたのかは予想できた。晴英は宗麟にとって二人の姉をのぞくと同腹のただ一人の弟であったから、兄らしい愛情がこの弟だけにはあった。

「兄上、山口の変事、如何《いかが》お考えになる」

晴英は陶隆房の要請があった時から、しきりにその乞《こ》いに応じて大内家の相続人となることを望んでいた。

「大内義隆殿はあまりにあっけなく山口から逃れられたと聞きます」

神経質な兄とちがい、晴英は笑顔があかるい快活な青年だったという。つまり宗麟のように人の心の裏や動きなど細かくは考えぬ性格だったのだろう。

「義隆殿父子が亡くなられたからには、この晴英がかねてよりの陶隆房の乞いを入れ、大内家の家督をついで然《しか》るべきかと存じます……兄上と晴英の母上は義隆殿の姉になられますゆえ」

宗麟は黙って弟のあかるい顔を見た。弟の心中はわかっていた。次男に生れたゆえに大友家の統領になれなかった不満はこの晴英の心にもあろうが、晴英は兄の義鑑に怒りをふくんだ菊池義武《よしたけ》のような陰険な性格ではない。ただ周防、長門など中国の大守である大内家を継げるチャンスを逃したくないのだ。

「晴英、大内義隆公の御最期《ごさいご》を耳に致したか」

と宗麟は突然たずねた。

「存じております。仙崎の大寧寺にてみごとに自刃なされた由《よし》。つき従った者も寺に火を放ち……」

「そのことではない。その折、逃れた者が昨夜豊前に逃れ、語ったところによると、義隆公は死の寸前、匿《かく》もうてくれた大寧寺の和尚《おしよう》にこう問われた。『臨終の間には無念無想に住すべきことこそ肝要にて候《そうろう》やらん』。更に『悟りの道は色々に取りよる方は候えども落ちつくところは同じ雲井の月であろうか』と」

晴英は兄の顔をふしぎそうに眺《なが》め、

「おそらく、そうでありましょうな。だが晴英が山口に参ればそのような始末にはなりませぬ」

「晴英、大内家をついだ時そちにはこの無念無想が持てるか。余は……まだそれが持てぬ。持てぬうち武辺の家の家形となった」

晴英は困ったように笑った。この兄は物事をいつもむつかしく考えておられる。世のことは是非の区別さえあきらかならばそれでよい。

「その覚悟がなくても晴英は大内家に参るのか。陶隆房がそちを統領として迎えるのは一時の方便であること、よう存じておろうが。隆房はおのれの野望のためにそちを傀儡にいたしたいにすぎぬぞ。大内義隆殿を追いつめたようにやがて隆房は口実をつけてそちにも死を強《し》いるやもしれぬぞ」

宗麟は弟への愛情をこめて本気で言った。

晴英は笑って首をふった。この無邪気な青年は無邪気ゆえにあまりに楽観的だった。

「他人《ひと》ごとではない」宗麟の眼は真剣だった。「余とても明日は同じ身になるやもしれぬ。大内義隆殿はわれら二人の叔父にもあたられればこそ、そのお方が御最期にどのように無念無想のお心になられたかを……知りたい」

晴英にはこの兄があまりに複雑でどう捉《とら》えていいのかわからない。大友家家形としてみごとなる手腕をみせていると思えば、急にもろくなり、このように修行僧のような悩みを口に出す。

「むつかしゅうお考えなされますな、むつかしゅう考えてはこの戦国の世のなか、戦などできませぬ。晴英が大内家をつぐことは大友家の御為《おんため》ともお心得くだされませ」

晴英が書院を退出したあと、宗麟はまた庭に眼をやって考えこむ。

大内家に内紛が起るかもしれぬという報告が豊前、筑後を通して耳に入った時は宗麟にはそれほど実感が起きなかった。義隆の奢侈に憤慨した者たちの動きぐらいにしか考えなかったのだ。

だが今、現実にその義隆が暗夜の逃亡の後追いつめられ自害した事実を知った時、宗麟は急に自分にも同様の運命が起りうることに気がついた。

切実感は自決した大内義隆が母の弟であるということからも来ていた。おなじ血をわけあっているせいか義隆は宗麟と同じように文雅を愛し、その風流な館によき庭とよき建物を作って多くの文人を招き、自らも連歌を作り、能を楽しみ、儒学や漢詩を学んでいる。

それだけに宗麟はこの叔父の多彩な才能に自分のそれを重ねあわせ、二人の境遇の相似たことを思わざるをえなかった。ひとしく名家の嫡男として生れ、それぞれ数ヶ国の守護となるという運命を持っている。

だから義隆の悲惨な末路が現実となった今、感受性の強い宗麟にはそれが他人《ひと》ごととは思えない。

「義隆殿の御最期の模様を存じておる者はおらぬか」

宗麟のこの願いはたんなる好奇心からではなかった。義隆が自決の直前に呟《つぶや》いた「無念無想に住すべき」という気持をわが身に引きつけどうしても知りたかったのだ。

「持明院基通《もとみち》と申す公卿《くぎょう》がただ今、筑前の筑紫《つくし》惟門《これかど》殿のもとにひそかに落ちのびて参っております。基通は義隆公に従い、御最期の大寧寺まで参った由にございます」

九月、宗麟の願望をみたす報告が急に筑前から届いた。宗麟はその公卿をすぐに府内に呼んだ。

持明院基通は兄の持明院基規《もとのり》と共に山口に招かれて築山館に長く滞在し、有職故実《ゆうそくこじつ》にあかるい公卿だった。義隆の側近となり、八月二十九日、山口脱走の時から大寧寺の自決までの光景をその眼で見たのである。

「義隆公は禅をも学ばれておりました」

基通は細面《ほそおもて》の、柔和な眼をした公卿だった。こんな公卿が陶隆房の雑兵たちの手から筑前まで逃げてこられたのがふしぎなくらいである。

「都の大徳寺の玉堂宗条和尚を招かれ、座禅をくまれたこともございます。それゆえ、禅の申す無念無想の境地を願われたのでありましょう」

基通は宗麟の質問に首を少し傾けながら当り障りのない答えを答えた。

「それで、公はその境地に達せられたと思うか」

「わかりませぬ。ただ最期の折、公が大寧寺住職に語られたお言葉は憶《おぼ》えております」

「何と……申された」

「仏教の教えるところ、天台も華厳《けごん》も真言も浄土も心の源を一大事と考える。儒道は虚無、神道も国常立命《くにのとこたちのみこと》大心を根本となす。されば悟りの道は色々と取るかたに有ろうが、落ちつくところはおなじ雲井の月を見るようなものであろう。そのようなお言葉を呟かれておられました」

宗麟はうなずいた。うなずいたが彼は大内義隆の言葉だけではなく、そのような無念無想の心になりえたのか、どうかを切実に知りたかった。

「わかりませぬ」

基通は正直に告白した。

「いかなる人もその心の奥の奥底は他の者たちに到底、窺《うかが》うことはできませぬ」

心の奥の奥底という言葉を宗麟ははじめて耳にした。

結局、基通の話からつかめたことは宗麟自身が同じように死地に追いつめられ、死なねばならぬ時、おそらく恐怖のため自暴自棄の状態になるだろうということだけだった。狂乱して敵と闘うか、錯乱して自らの胸を刀で刺すとしても、それは無念無想の心を以《もっ》てではないこと、それを宗麟は感じた。

彼はこの秘密をもちろん誰にもうち明けなかった。晴英にだけかすかに洩《も》らしたが、晴英は何もわからなかった。側近の臼杵鑑速たちにも妻にも語らなかった。語ったところで何の答えもかえらぬことを知っていたからである。

家形とパードレ

コインブラ国立図書館で最近発見されたこの書簡は、天文十六年（一五四七年）頃《ころ》、日本に渡来して府内に五年間ほど滞在したヘデイゴ・ヴァス・デ・アラゴンとよぶポルトガル人がマカオ在住の商人ジョルジ・デ・ファリアに送った手紙の一節である。ジョルジ・デ・ファリアもアラゴンより二年前の天文十四年（一五四五年）に中国人の小ジャンクで府内に入港し、通商を求めた。一方、アラゴンの日本滞在の目的は不明であるが、宣教師とも思われないので大友家の許しをえて、ファリアと同じように日本との貿易調査を行っていたと思われる。

貴君はまだ御存知ないと思うが、この府内では昨年、家臣の謀反《むほん》が起り、領主は重傷を負った後に死亡、家督は貴君も御存知の若き長男が引きつぎました。

新しい殿の評判は人によってまちまちで、ある家臣は思ったより英明と言い、他の家臣は頭はよいが神経質で我儘《わがまま》な方であると蔭口《かげぐち》をついております。彼の新妻は貴君も御存知の国《くに》東《さき》の有名な神社の娘ですが、この結婚によって殿は敵愾心《てきがいしん》の強かった国東の勢力者を味方に引き入れることに成功しました。

ところで今日、報告したいのはスペインのイエズス会宣教師フランシスコ・ザビエル神父(パードレ)が、この地に二ヶ月ほど滞在し、十一月中旬、ドアルテ・ダ・ガマ船長のポルトガル船にてコーチンに向けて出発したことです。

ザビエル神父につき簡単に御説明をすると、彼はスペイン、ナバラ王国の貴族の子として生れ、巴里《パリ》大学で学友イグナシオ・デ・ロヨラたちが修道会イエズス会を結成した時、参加した一人です。

彼はインド艦隊に同乗して一五四二年、インドのゴアに赴き、ゴアにて宣教を行い、多くの人々に慕われ改宗者を出した有徳者です。その折、マラッカで弥次郎《やじろう》という日本青年と出会い、日本の話を聞いてこの国への布教を決心したそうです。余談ですがこの弥次郎なる男は日本で人を殺したため、追及の手を脱《のが》れて当時鹿児島の港近くに停泊中だったポルトガル船でマラッカに逃亡しましたが、途中、船長から基督《キリスト》教とザビエル神父の話を聞き、大いに感化された由《よし》であります。

貴君が日本を去った翌年の冬、弥次郎に案内されて日本に到着したザビエル神父一行は一年ほど鹿児島に滞在した後、平戸、博多《はかた》、山口の町々をへて都にも上り、ふたたび山口に戻って、かの地の王、大内殿を頼りました。

この大内殿と豊後《ぶんご》の新しい殿とは叔父と甥《おい》との関係でもありましたからザビエル神父の滞

在のことはすぐにここ府内にも伝わりました。

新領主になったばかりの殿は基督教への興味ではなく、ザビエル神父を通じて南蛮との貿易を盛んにし、あわせて銃と火薬とを手に入れるという富国強兵の目的で府内に彼を招待しました。

なぜ私がこのような彼の真意を知っているかと申しますと一年ほど前、貴君が出発した直後、私は彼の父であった前豊後領主に招かれてその館《やかた》に伺ったことがあったからです。

領主のそばには長男と次男――つまり現在の殿と弟君とが緊張して坐《すわ》っておりました。日本の習慣で二人とも父親の前では従者のように畏《かしこま》り、父は父で自分の本心をみせぬため無表情を装っていました。

この次男は貴君がジャンク船で日本に来られた折、貴君たちの銃を弄《もてあそ》んだため軽い怪我《けが》を負い、ポルトガル人から手当を受けたと申しておりましたが御記憶がありますか。あかるいが単純な性格の青年です。

兄のほうは父の豊後王に気を遣いながらも弟よりやや知的な質問をしました。

「聞くところによると、そなたは朝夕、仏教の数珠《じゅず》をくり、何ごとか祈願しているそうだが、それは日本の神や仏にたいしてであるか」

私は笑いながら懐中からコンタツをとりだし、

「これは仏教の数珠ではございませぬ。私の信じているのは基督教であり、これはコンタツと申す数珠に似た祈りの道具でございます。珠《たま》は聖地で植えたオリーヴの実で作っておりますが、それをひとつ、ひとつ繰りながら祈りを唱えます」

私の貧しい日本語はこれを言うのがやっとでしたが彼は了解したようで、コンタツをしげしげと見ると、先端につけられた十字架と磔《はりつけ》になったイエズス像を凝視しました。

「これは誰か」

「イエズスと申され、神の子であらせられます」

「これが神か。かくもみじめな裸の姿にて磔となった者をそなたたちは神として崇《あが》めるのか」

馬鹿《ばか》にしたように彼は笑いさえ浮かべてコンタツを私に突き返しました。私の日本語ではとても十字架にかけられた主イエズスの秘義をこの三人に説明できません。領主もその息子たちも主の御教えと基督教とにはまったく興味がないことはこの時の表情や態度ではっきりとわかりました。

だから私は新しき殿がザビエル神父を招いたのも師の布教する教えに関心があったからではなく、物質的な利益——日本人は宗教にもこの世の利をもたらすことを求めるのです——を欲したためだと考えました。いや、むしろそれが彼等の宗教にたいする考えであると私は思います。

ザビエル神父は新しい殿の招待を悦《よろこ》んで受けました。というのは本年の夏、沖の浜にポルトガル船が入港したからであり、しかもその船長ガマや乗客の何人かを神父は既にマラッカで知っていたのです。

乗客の一人で富裕な商人、メンデス・ピントが船長のガマと共にわが家に相談に参りました。彼等は山口から送られてきたザビエル神父の書簡をみせ、

「あのお方は（ガマ船長は神父を前から深く尊敬していました）三人の日本人信者と山口から国東の山をこえ、日出《ひじ》の海岸に出て十九日頃に府内に到着すると書いておられる。その上、布教用の重い聖具も持って来られるようだ」

「この日本の暑さのなかを、重い聖具を持って山越えをするのですか」

と私は驚き説明をしました。

「国東という半島の山々は高くはないが道はきついしこの暑さではかなり苦しい。おそらく神父たちは疲れ果てて日出から府内に現われるでしょう。日本人たちは外見によって人を判断する国民ですから、服装が旅のため見すぼらしければ異様なものでも見るような眼《め》で彼を眺《なが》めるにちがいありません」

「それならば、あの方がどれほど我々に尊敬されているお方かを日本人たちに教えたいものだ」

とガマ船長は心配そうに呟《つぶや》きました。

その時、私はかつて私のコンタツを見て笑いながら言った殿の言葉を思いだしました。

「これが神か。かくもみじめな裸の姿にて磔となった者をそなたたちは神として崇めるのか」

　わたしは背も向けず逃げもしなかった。打つ者には打つにまかせ髭《ひげ》を抜く者は抜かせるませ、恥と唾《つば》を避けるため顔をかくさなかった。（イザヤ書）

　聖なる人はみじめであり、人々から辱《はずか》しめを受けるというあの言葉を殿は決して理解できまいと私は思いました。

「ガマ船長。あなたは美々しい行列を作ってあの方を恭《うやうや》しくお迎えしたほうがいい。そして日本人たちにこの我々が本当に尊敬するものが外観ではなく人格であることを示すのです」

「その通りだ」

　と南欧人的な陽気さでやや法螺《ほら》ふきの商人メンデス・ピントも手を拍《う》って、

「船の大砲にすべて火薬をつめ、神父の姿が浜に見えた瞬間祝砲を高らかに撃ちならそうではないか」

　驚いてはいけません。半ば悪戯《いたずら》にも似たこの歓迎式をガマ船長やピントや私たちは大真面目《おおまじめ》に実行したのです。

　あの日はとりわけ暑かった。海は照りかえり府内は蟬《せみ》の声だらけでした。あとで知ったのですが、ザビエル神父と三人の日本人信者とは大理石の聖像や祭具を入れた袋を背負い、日出の背後にある細い山道を汗にまみれて降りました。若い三人の日本人青年はまだしも四十五歳のザビエル神父は山越えに憔悴《しょうすい》し、足を曳《ひ》きずるようにして府内に向って歩いたのです。一八〇ミリオ（一ミリオは一里半）の辛《つら》い旅はザビエル神父をうちのめしました。足はむくれ、彼は道の途中でしゃがみこみました。三人の日本人たちが急を知らせるため駆けてくる姿を途中まで出迎えたポルトガル船員が見つけました。彼等の知らせを受けると船上で待機していたガマ船長はただちに砲に火薬をつめて礼砲をうつ準備をしました。

あの時の府内の驚きようは可笑《おか》しなくらいでした。突然、沖に停泊していた我々の船から四門の大砲がすさまじい音をたてて、海に黄色い煙が拡《ひろ》がったのですから。日本人たちは家々をとび出し、殿の城館の門から馬に鞭《むち》うって侍があわてながら駆け出てきました。

私なども府内に在住していたためポルトガル人の姿はもうこの頃、府内の日本人にはそう珍しくありませんでしたが、しかしやはり想像していた通りでした。重い袋をかついだみすぼらしい、汗まみれのザビエル師と三人の日本青年の姿は府内の人間の眼には高徳の僧のイメージではなく、南蛮人の物乞《ものご》いのようにうつったのでしょう。ガマ船長に迎えられた彼等は殿の家臣の指令によって沖の浜にある日本人の宿舎（この日本人は後に受洗してブラスという洗礼名をもらいました）に行く途中道の両側の見物人からは嘲笑《ちょうしょう》が起り、時には小石を投げる子供もいました。

宿で体をやすめたあと、神父たちは衣裳《いしょう》を改め、モスリンの幔幕《まんまく》を張りめぐらせ、数人の楽隊員をのせた二隻《せき》の小舟に乗りました。舟は堂尻川《どうじり》をさかのぼり船着場に到着。そこから計画通り船員たちが行列を作って殿の館まで行進。この時は小石を投げる者はありませんでしたが見物の群集のなかから仏僧たちの憎しみのこもった声が何度か耳に聞えてきました。

「府内に何をなしに参った」

「仏敵、早々に立ち去れ。邪宗の話を聞く者には災があるぞ」

鹿児島でも仏教の僧侶《そうりょ》たちはザビエル神父を敵視したと聞きましたが、これらの寺から連絡が既に届いていたのでありましょう。しかし日本語のわからぬ四十五歳のザビエル神父は舟のなかで疲労で肉のそげた頰《ほお》に微笑をうかべ、川の両側に並んだ日本人たちにうなずいておられました。

ザビエル神父はガマ船長のほか通訳として弥次郎の弟の如安《ジョアン》と私とを連れて殿の館を訪れました。私も加わったのは日本語はまだ覚つかないものでしたが、兄と一緒にマラッカに在住した如安のあやふやなポルトガル語を幾分かは補足できると思ったからです。

貴君も御存知の館の広間で我々は殿と貴君が鉄砲の傷を治療した弟君との謁見《えっけん》を受けました。

話は山口の王大内殿の模様から始まりました。殿は叔父でもある大内殿が軍人たちの及ばぬ文化的教養の持主であることをいつも尊敬しているなど当り障りのない話をなされ、それから（これは日本人が外国人と語る時、いつも話題にすることですが）日本の生活や食べものをどう思うかとか、ポルトガルと日本の住居や日常の違いなどを質問しました。

こういう質疑は日本の行く先々で受けたらしく通訳の如安もまずまず大意を歪《ゆが》めることなくザビエル神父に伝えていました。

やがて殿はガマ船長に向い、貿易船はもっと数多くこの府内に寄港できぬか、府内を日本における南蛮船の最大寄港地にすることは不可能かとたずねはじめました。

「それには府内にスペイン、ポルトガル人の居住地区を大幅に認め、更に大事なことは基督教の信仰を日本人が自由にできることが必要です」

とガマ船長はザビエル神父に代って答えました。

「悦んで認めよう」

と殿は弟君をちらと見て微笑しながらうなずきました。

「そのかわり、そなたたちの船はその都度、各地の物産を運び日本の品々を買ってほしい。余としては珍奇な天竺《てんじく》や唐《から》の品々はもとより、鉄砲とその火薬を手に入れたい」

彼はここでザビエル神父を府内に呼んだ本意を洩《も》らしだしました。予想していた通り、彼が求めていたのは領国を富ます外国の品々、彼の軍隊を強化する大砲や銃であって、決してザビエル神父が伝えようとした主の教えではありませんでした。

「必要とあらば、余はそなたたちの総督に使者を送り、わが領内でそなたたちの生活を認め、領民にそなたたちの神を説く許しも与えるかわりに、ポルトガル船の府内渡来をふやすという約束をとり交わしたい」

ザビエル神父の存在はいつの間にか、話題の圏外におかれていました。

敏感な殿はすぐそれに気づかれて、

「尊師は妻子を何処《いずこ》に残されておられる」

と言葉をかけられました。

「私には妻も子もおりませぬ、この身も一生も神のため捧《ささ》げました」

とザビエル師は少し苦笑しながら、多くの日本人からたびたび受けたこの質問に答えました。

「妻子はおらぬ。では生涯《しょうがい》、不犯《ふぼん》か」

「その通りです」

「妻子を持つことは尊師たちの宗教では許されぬのか」

殿は怪訝《けげん》な顔をされ、それから神父が基督教では信者たちはもちろん家庭を持てるが神父たちは(如安はそれを坊主《ぼうず》と訳しました)終生、独身を守るのだと答えると、

「見あげたものだ」

と弟君をむいて呟き、しかし皮肉な微笑を口にうかべました。それからザビエル神父が腰にさげておられたコンタツに眼をやり、

「アラゴン殿も同じ品をお持ちであったな。尊師もまたその数珠に似たもので祈られるのか」

「さようでございます」

「尊師の崇めておられる神はまことにそのように裸にされ磔となったのか」

「はい」

「尊師ほどの僧がかくの如《ごと》く哀れきわまる姿の者を神として崇めるのが解《げ》せぬが」

「このお方は尊き身ながら我ら人間すべての罪を背負うて死なれたのでございます」

「ほう」

殿は初めて眼に好奇心をうかべました。

「我ら人間すべての罪を背負った？」

「その通りでございます」

「罪とは如何《いか》なることか、仏教で申す前世からの因縁《いんねん》か。あるいは悟りを妨げる煩悩《ぼんのう》、執着のことか」

「人間には前世などありませぬ。それに人間は生れながらに弱いものでございます」

如安の通訳もこの問いかけのあたりからザビエル神父にはよく通じなくなりました。私の

貧しい日本語では理解できぬ仏教用語が殿の口から次々と飛びだして参ります。

「尊師たちの宗教は死後をどのように思うのか」

ザビエル神父が死者の復活を語ると、殿はそれは仏教で言う転生とどう違うか、とたずねられる。この質問はこれまで多くの日本人から受けたらしいのですが、復活という言葉が日本語にはなく言葉の食いちがいが殿に混乱を生じさせ、誤解をうみ、ザビエル神父の眼にも当惑の色がありありとうかびました。殿は殿でこの異国の宣教師より智識《ちしき》あるところを見せよう、議論にうち勝とうといらだっておられました。

疲れきったザビエル神父は仕方なくこう言いました。

「殿は御聡明《ごそうめい》な方と承っております。ならば少し時をかけてゆっくり私たちの宗教の話を学ばれては如何《いかが》でしょう」

「そうしたいものだ」

と殿は礼儀上、うなずいてみせ、

「だが残念なことに余はこの領国の主人である。余がもし尊師の宗門に入れば仏教徒の家臣たちは当惑致すであろう。とりわけ余の室は国東でも名ある神社の出である。妻は余が異国《とつくに》の宗門に入ることを悦ぶまい」

と首をふりました。

この時、ザビエル師の顔に失望の色が浮かんだのは、師が山口から豊後《ぶんご》に山を越えて来たのも殿の要請があればこそですし、また殿が基督教の教えに耳傾けるかもしれぬという強い期待をお持ちだったからです。

「あの領主が私をこの土地に呼んだのは」

帰り道、ザビエル神父は哀《かな》しげに、

「私の話を聴くためではなかった」

「しかし彼は布教の自由を認めました」

と我々は神父を懸命に慰めねばなりませんでした。

「この国の布教はゆっくりとやらねばなりません。少くとも今日の会見は成功したとお思いになるべきです」

たしかに布教の自由は殿から与えられました。しかし翌日から府内の町の辻《つじ》で如安を通訳にしながら主の道を説くザビエル神父の姿は孤独でした。

仏僧たちはこの異国の宗教とそれを語る神父とに露骨な敵意をみせ、殿の家臣たちのなかで熱心な仏教徒や宇佐八幡《はちまん》を信ずる者が頑《かたく》なにザビエル神父に拒絶の姿勢を示しました。

私は見たことがあります。まだ夏の暑さの残る強い陽《ひ》ざしの辻でザビエル神父と如安とそれに二人の日本青年とがかたまって、人々に声をかけていました。

神父の辻説法のやり方は次のようなものでした。

まず如安が鹿児島で編纂《へんさん》した教理書を大声で朗読、そのあとザビエル神父が彼の通訳で説教します。説教の場所は毎日変りましたが、いつも遠くからただ好奇心だけでこの小さな集りを眺《なが》めている人々はやがて姿をみせた仏僧が大声で叱《しか》りつけると、あわてて散っていきました。子供だけが二、三人、まだ残って立っているだけでした。そのあと神父たちを嘲笑するように蟬だけが周りの木だちのなかで鳴きわめいていました。

それでもザビエル神父は陽ざしのなかを二時間も三時間も辛抱づよく立っていました。貴君も御存知の日本の夏。神父の姿も地面におちた彼の細い影もみじめそのものでした。私はヨハネ福音書の「多くの弟子すらに背を向け、立ち去りぬ」というイエズスの姿を痛いほど思いだしました。

「この国での布教をもう一度、考えなおさねばなりませぬ」

豊後滞在二ヶ月でザビエル神父は挫《ざ》折《せつ》感を嚙《か》みしめながらしきりに反省しておられました。

「この国は私がゴアで想像していたような国ではなかった。この国には我々が考えもつかなかった泥沼《どろぬま》があるような気さえします。我々が植える苗の根をいつか腐らせてしまう沼が……」

それから彼は言葉を切って苦しそうに、

「あるいは本来の苗とは似ても似つかぬ植物に変えてしまうような……」

「何をおっしゃるのです、神父さま」

ガマ船長は驚愕《きょうがく》の色を顔にうかべました。彼はザビエル神父の人格を心から尊敬すると共に熱心な基督教信者として船中で毎日、神父にミサをたててもらい欠かさずあずかっている男でした。

「鹿児島にいた頃《ころ》、私はただ一つの神、万物を創《つく》り給《たも》うた神について語りました。しかしその神《デウス》を通訳、弥次郎は仏教の大日《ダイニチ》と同じように日本人たちに伝えていたのです」

ガマ船長も私も今まで知らなかった滑稽《こっけい》な誤解に思わず吹きだしました。しかし神父は笑いもせず真剣に、

「私が天国について語った時、弥次郎はこれを仏教の極楽と同じものとして群集に通訳していました」

「それは弥次郎と申す日本人の無智、無理解によるものかあるいは通訳上の不手際《ふてぎわ》のためでしょう」

とガマ船長は神父を慰め、私もうなずきました。しかし、

「いや、そうではありませぬ」

と神父のくぼんだ眼には辛《つら》そうな色が浮かびました。

「時折、私は思うのですが……、ひょっとすると我らのただ一つの神をいつの間にか大日如《にょ》来《らい》にすり替え、天国を浄土に変えるような何か怖《おそろ》しい不気味な力がこの日本人の心の奥にか

くれているのではありますまいか。日本人のそんな屈折力は、これから基督教布教の上で大きな障害になるように思います」

「神父さま、それはそれほど深刻な問題でしょうか」

と私は不満な気持でザビエル神父をたしなめました。神父はいささか日本人の心を深刻化し誇張している気がしたのです。しかし神父は頑なに首をふり、

「いや、私はこれこそ日本布教の一番大事な課題になると思います。いつか日本人たちが我々に代って神父になった時、彼等は基督教を日本人信者の心に親しみやすくするためと称し、神《デウス》を大日如来に似たものとすり替え、汎神論《はんしんろん》の神々をも神と混同するかもしれませぬ」

「神父さま、日本人の信じる大日如来とは如何なるものでしょうか」

「日本人たちはそれを全世界の根元であり生命の元だと申しています。宇宙の命は人間を生かすだけでなく動物や草木など生けるものの生命となってあらわれている。したがって生きるものすべての生命は神か神に似たものなのです。弥次郎はじめ日本人たちはそのような宇宙の命を我らの人格神とすり替えて考えていたのです」

私は沈黙しました。私が五年間住んで気がつかなかった日本人の不気味な同和力と屈折力とを鋭敏なザビエル神父が見透されたような気がしました。

「戦場で将軍たちが作戦を立てなおすように私も日本布教の方法を考え直さねばならぬ」

と神父ははっきりと自分の考えをこの時、うち明けました。

「季節風が吹く秋、ガマ船長の船でコーチンに私は戻ります。その時、二人の日本の青年、鹿児島のベルナルド、山口のマテオを伴うつもりです。彼等をできればローマかマドリッドかリスボアの大学で学ばせ、基督教の教義を正しく身につけさせたいのです。二度と私たちの人格神を大日と混同したり日本の宗教と基督教とを重ねあわせて伝えぬようにせねばなりません」

ベルナルドとマテオとはこの府内に神父が連れてきた日本人の若い新しい信者でした。ベルナルドは鹿児島でいち早く洗礼を受け、マテオは山口出身で神父の人格に接して受洗しました。

（後にベルナルドは日本最初の欧州留学生としてリスボア、ローマで勉強したが、長い船旅でかかった病で一五五七年にポルトガルで死んだ。マテオもゴアまで神父の供をした後、数ヶ月でそのゴアで生涯を閉じている。遠藤附記）

神父はこのようにコーチンに戻り、かの地で新しい宣教師を連れて再び日本に来る決心をしておられました。

ところがその出発を決心された九月、思いもかけぬ事件が起りました。ザビエル神父たちを山口で庇《ひ》護《ご》し、布教を許していた領主、大内義隆《よしたか》殿が重臣の一人にクーデターを起され、自殺したのです。

山口に残留していたトルレス神父とフェルナンデス修道士とは反乱のなかで兵士や仏僧た

ちから死の脅迫を受けながらも奇跡的に難を逃れました。二人は日本人の召使アントニオに手紙を託してきたのです。

この直後、府内で殿は急にザビエル神父に話をききたいと家臣をよこしました。これまで神父の布教を認めながらも二度と会わなかった殿がなぜか急に態度を変えられたのです。

神父は例によって如安《ジョアン》と私とを伴って館《やかた》に伺候《しこう》しました。館の庭は枯葉に埋りかけ、小鳥たちの鋭い鳴声が聞えましたが、殿は先日とはちがって顔色も悪く、憂鬱《ゆううつ》そうに見えました。

「私も殿に御礼と共に別れの御《ご》挨拶《あいさつ》に伺いたいと考えておりました」

とザビエル神父は日本式に腰をかがめ、間もなくこの府内を出航するガマ船長の船でコーチンに戻りたいと説明しました。

「マラッカやゴアから何の便りもないのです。あの地方責任者でもある私としては事情を調べねばなりません。そのため日本を去るお許しを得たいと考えておりました」

「どうしても帰られるのか。余にとりそれほど口惜《くや》しいことはない」

と殿はこの時、きちんと正座をして、

「今日、余は尊師のお教えを聞きたいと切願して館にお出《い》でを乞《こ》うた次第だが」

意外な言葉に私と如安とはそっと顔を見あわせました。

「尊師、日本に戻ってこられるであろうな」

「そのつもりでおります。その折は新しい同僚神父を伴ってくる所存でございます」

「それならば余もそなたたちの総督に家臣を一人送り、そなたたちがこの豊後で教えをひろめるのを悦《よろこ》び、向後、船をしばしば送られることを願うことにしよう」

それは殿の本心であるように見えました。ザビエル神父はここで厳しい顔となり、きっとして申されました。

「殿が私をこの府内にお招きくだされたのは、御領国を交易で富ませるためでございますか。それとも……御自分の心の救いを求めてでございますか」

直截《ちょくせつ》な、しかし核心をついた質問に殿は一瞬、虚《こ》空《くう》の一点を凝視して沈黙されました。ザビエル神父も黙りこみ、弓の弦《つる》をはったように部屋の空気は緊張しました。

「心の救い。救いとは死に際して安心立命のことであろうか」

と殿の声はかすれ呻《うめ》くようでした。

「殿は安心してお死にになりたいのでございますか」

「家形《やかた》という者はいつ死に直面するかもしれぬ。既に山口の大内義隆殿の死は耳に致されたであろう。大内殿は自決の折、無念無想になられたと聞く。しかし正直申せば余にはまだそのような境地になれぬ」

如安は懸命になって殿の心をザビエル神父に通訳しようとしました。最初の儀礼的な会見と全くちがい、殿は心の底から御自分の問題をしぼり出そうとしておられました。

通訳はしどろもどろでしたが、ザビエル神父は言葉を通してではなく、彼の魂の直観で殿の苦悩に耳傾けておられました。

「余は府内の禅僧たちの話もきいてみた。仏典もひらいてみた。だが迷いは霧のようにますます深くなる」

「案じられますな。死の折はわれらの神にすべてを委《ゆだ》ねられませ。いかなる罪ある者も、主はやさしくお受けとりになります。ただし、その男が罪を心から悔いておりますならば……」

「よくわからぬ。尊師の申さるる罪とは何を指すのか」

「罪とは神と人への愛のなきことでございます」

「愛？ 愛こそ悟りを妨げるものではないか」

不幸にして日本語には基督教で申す愛に相当する言葉が存在しませんでした。のみならず私の聞くところによると仏教では愛着こそ煩悩《ぼんのう》執着の最たるものとして教えているそうですから、殿の問いはもっともでした。

「ではこう申しましょう。人のためにわが命を捨てる。これに勝る愛はないとイエズスは語られました。だからこそイエズスは我々人間のために命を捨てられたのでございます」

「他の者のために命を捨てることが愛か」

「もとより神の御教えには殺すなかれ、奪《と》るなかれ、偽りを申すなかれ、と幾つかございます。しかし、それにもまして他の人々のため身をつくし、心をつくした者は死に臨んでもはや何も恐れますまい。神にすべてを委ねます」

庭では小禽《しょうきん》が鋭い声で鳴いていました。大きな枯葉がゆっくりと枝から離れてこれも金色の落葉で埋った庭に落ちていきます。

「尊師のお教えもそれか」

「さようでございます」

「まず殺すなかれ、奪うなかれ、偽りを申すなかれ……だがそれはできぬぞ、この余には」

「なぜ、でございますか」

「大友家の家形であり、九州数国の領主である余には、養わねばならぬ一族、重臣、家来がいる。そのためには敵とも戦わねばならぬ。敵から奪わねばならぬ。敵を殺しだまさねばならぬ。家形である限り、尊師のお教えを守れば、領国を失うことになる」

この時、神父は間髪《え》を入れず、きびしく鋭い答えを返しました。

「殿、魂の至福を獲ることは、家形を守ることより大事でございます。もし殿が我らの神を御信心になる時は、神は今の殿よりももっと大きな栄光をお与えになりましょう」

殿はしばし反駁《はんばく》もせず、考えこんでいました。ほとんど項垂《うなだ》れていたと言っていいかもしれません。やがて弱々しい声で、

「家形でありながら……尊師の申さるる道を歩むことができた者がいるか」

「ございました。その王は自分の領国に神の国をそのまま作ろうと努めました。その国では

民は王を敬いますが、それは王を怖れるゆえではございませぬ。王は民を慈《いつく》しみ、民は王を慕うておりました」

「その王は戦うたことはないのか」

「戦うたことはございました。しかしそれは奪うためではなく、侵す者を防ぎ懲《こら》しめるためのみでございました」

私は今でもこの二人の会話を記憶しています。木洩《こも》れ陽《び》がさす庭、しきりに舞い落ちる木の葉。時々、冷たく静寂な空間を破って小鳥の鋭い声が聞える。ザビエル神父は決して妥協なさいませんでした。殿も殿でこの時だけは神父に正直に自分の疑問や弱さを示したような気がします。

この日本では優れた家形であることとよき基督者であることは一致できぬ、矛盾する、と殿は何度も首をふり、神父はそのいずれの価値が高いのかと迫り、早い日暮はやがて庭を夕《ゆう》靄《もや》で包みはじめました。

（あるいは今日の対話が殿にとり生涯《しようがい》の宿題になるかもしれぬ）

と私は心のなかでそんな感じさえしました。

「コーチンに戻りましてもいつも私は祈っております。殿の救いのために」

と神父は殿を友情と慈愛とにみちた深い眼差《まなざ》しでじっと見つめその手を両手で包まれました。

十一月十五日、府内の港である沖の浜に日本人たちが集りました。大半は殿の使者としてドアルテ・ダ・ガマの船でゴアの総督に親書を運ぶ植田玄佐殿の家族や友人たちでした。冬でしたが、この日はあたたかく晴れていました。やがて沖で待っているガマ船長の船に乗りこむためザビエル神父も植田玄佐殿もそして神父が連れていく二人の日本人青年も小舟にのりこみました。私といえば故国に戻る船があるのに一人とり残される寂しさを味わわねばなりませんでした。

日本人たち見送人は歓声をあげ、植田殿は手をふりました。ザビエル神父の瘦《や》せた体と白髪のまじった髪が海風になびくのを見て、私は彼がどれほど一粒の麦の種をこの土地に芽ばえさせようと努力したかを思いました。

二人の日本人青年は去りゆく豊後《ぶんご》の山々を腕をくんで凝視していました。沖の浜はこうして日本から最初に欧州に学ぶ留学生を送り出した場所になったのです。

謀反《むほん》の怖《おそ》れ

ザビエルたちが去ったあと、冬が近づいた。十一月、宇佐神宮では放生会《ほうじようえ》が行われる。その昔、反乱を起して鎮圧された隼人《はやと》たちの霊を慰める祭がこの「放生会」である。その十一月、府内では南蛮船のことも人々の話題にのぼらなくなった。寒の行事がはじまった万寿寺や本光寺では、朗々たる読経《どきよう》の声がひびき、千手堂町《せんじゆどうまち》や小物座町《こもんざまち》の朝市では近隣から集まった百姓や漁師の吐く息が白かった。

大友屋敷の茶室で宗麟《そうりん》は正室の矢乃《やの》と時折、茶を喫した。茶道も宗麟の愛する趣味だった。

「兄が明日、国東《くにさき》より府内にたち戻ります」

「……」

茶碗《ちやわん》を手で愛玩《あいがん》しながら宗麟は矢乃の言葉を無視した。矢乃は話のはしばしに必ず兄の田原親賢《ちかかた》の名を出す癖があった。宗麟にはそれが彼女の血縁でもある田原家がいかに大友家の大きな柱か念を押されている気がして、愉快ではなかった。

「この箱より茶入れ、出してみよ」

と宗麟はいつも影のように妻に侍《はべ》っているあの侍女に命じた。

「鑑速《あきすみ》が余にくれた茶入れよ」

鑑速とは臼杵《うすき》鑑速のことである。二階崩れの変以来、宗麟はこの同紋衆の一人を最も重要な片腕としてきた。そして妻が兄の名を持ちだすと、彼はそれに逆うように鑑速の名をわざと口に出した。

侍女は紐《ひも》をといて箱から瓢箪《ひょうたん》型の茶入れを出した。彼女の指の動きが宗麟にいつものことながら母を思いださせた。母はよく指で彼の顔をなでてくれた。

「晴英《はるふさ》が山口に参る折は、この瓢箪茶入れを餞別《せんべつ》と致そうと思うておる」

「お好きなようになされませ」

矢乃は冷やかな声を出した。彼女は晴英が宗麟と同じように南蛮との貿易のため山口にも教会を建て南蛮僧の布教を認めたいと言ったことに腹を立てていた。それは矢乃の実家である奈多《なだ》宮やその本宮である宇佐八幡を蔑《ないがし》ろにするように思えたのである……。

「まもなく晴英が参る」

宗麟はそう言って茶入れを箱に戻すように命じて立ちあがった。

彼は自分と妻とがしっくりと行かぬことを感じていた。結婚してわかったが矢乃は考えていた以上に、気の強いしっかりした女だった。その気の強さは何か不満な折、彼女が夫をきっと見る眼《め》の強さにもあらわれた。

矢乃は宗麟がザビエル神父を屋敷内に招いて弟と歓待した話を耳にすると、きっとした眼で宗麟を凝視した。

「異国の宗旨を御領内にお広めになるおつもりでございますか」

と彼女は詰問《きつもん》するように、

「さようなことをなされますれば御領内の諸寺はもとより宇佐八幡とその御支社がどのように騒ぐやもしれませぬ。仏僧、神官たちはもとより御家中で一万田《いちまだ》鑑相《あきすけ》殿のような信心あつき御重臣のお心を離反させるかもわかりませぬ」

「あの南蛮人たちは僅《わず》か数名でこの日本に参っただけだ。教えを広めると申しても高が知れておろう」

宗麟は妻のほうではなく侍女に視線を向けて弁解した。

「それよりもあの者たちの国々と取引きをなすことが領国の利のため大事であろう」

矢乃は黙りこんだ。それは夫の弁に説得されたためではなく、自分の警告がやがて適中することを冷やかに強情に待つためのようだった。

妻には「高が知れている」と弁明をしたものの、宗麟の心からはザビエルの痩せた孤独な姿がなぜか消えない。

「去ってみると、あの南蛮僧のこと忘れ難くなる」

と宗麟はたずねてきた弟に正直に話した。

「別に教えに感じ入ったのではない。かの者の教えは余にようは摑《つか》めなかったが、あの男の顔と姿とが日一日と鮮やかに心に浮かびあがってくる」

いつもながら兄のそのような湿った話は晴英には面白くなかった。晴英はやがて自分が守護となる周防《すおう》、長門《ながと》のことで心は夢中だった。

「特に名僧智識《ちしき》とは思えませんでしたが……」

と晴英は一向に武人らしくない面をみせる宗麟をからかうように答えたが、宗麟は真面目《まじめ》に、

「あの男、なにゆえ、妻も持たず、子も持たず、賤《いや》しからぬ身分まですてて、波濤《はとう》万里、天竺《てんじく》などより、この日本に参ったのであろう。それほど信心するデウスとやらの教えを広めたいのか」

「兄者」

と当惑した晴英は話をさえぎった。

「山口より陶隆房《すえたかふさ》殿がこの晴英を迎えに参るというお話をお教えくださりませ」

夢からさめたように宗麟は顔をあげ、弟を凝視した。

凝視しているうち、今までザビエルについて話していた時の宗麟の表情が、家形《やかた》のそれに

変った。まるで彼のなかに二人の人間が並存しているようだった。

「山口よりの書状によると」と彼は説明した。「隆房は二人の家来と共に二十五日に国東、竹田《たけた》津《づ》にむけて船に乗る由《よし》である。されば北浦部衆（国東半島に拠る大友水軍のこと）に命じて竹田津浦、伊美《いみ》浦《うら》まで疎略《そりやく》なく警固致させ、余の名代として田北鑑生《あきなり》を遣わすつもりである。そちの大内家養子の儀式も正月五日、ここ大友屋敷にて行いたいと考えている」

晴英は家形である宗麟の適切な処置に頭をさげて礼を言った。

「晴英」

急に宗麟は強い声をだした。

「どうしても大内の家を継ぎ、家形となりたいか」

「なりとうござります」

「ならば兄として申しておきたい。ひとつは陶隆房に心ゆるすな。如何《いか》なる事情があれ隆房はわれらが叔父上にもあたる主人の義隆殿を弑逆《しいぎゃく》した謀反人ぞ。隆房がそちを大内家に迎えに参るのは、仕えるためではなく、おのが傀儡《かいらい》と致す下心あればこそと余は思うている」

「……」

「今ひとつ、そちが大内家の当主となったあと、筑前《ちくぜん》と豊前《ぶぜん》とをめぐってこの大友家と争うやもしれぬ。されば事前にこの両国について、教えておく。陶隆房がいかに唆《そその》かそうとこの両国は兄が守護たるべき地と心得よ」

「……」

「更に晴英……いつぞや不覚にも洩らした通り、家形たる者にはたえず謀反、反逆を覚悟せねばならぬ」

「もとより覚悟しております」

「口先だけで申しておるのではないか。余は今日まで義隆殿のごとく家形として臨終の間には無念無想に住する心を得たいと、それればかり考えつづけたが、得るに到ってはおらぬ」

「……」

「家形たることは……晴英……重いことぞ」

「なぜでございます」

「父上のことを思い出せ。そちが後を継ぐ大内義隆《よしたか》殿のことを考えよ。家形はいつ、家臣に謀反、反逆を起されるかもわからぬ。されば人の心が信じられなくなる。一族重臣の一人をも心から信じることができぬ」

晴英はうつむいて胸に起きた軽侮をこらえた。彼には時折、この兄が急に気弱くなり、青くさい修行僧のような言葉を口走るのが滑稽《こっけい》にさえ思えていた。

もっともこれは今に始まったことではなかった。少年時代の兄は弓も馬も不器用であり、公卿《くぎょう》のように詩歌や蹴鞠《けまり》、音曲に関心を抱いて教育係の入田親誠《にゅうたちかざね》にたびたび戒められていたが、家形になってからも政務では意外にも果断な面をみせる反面、少年時代と同じように考えても甲斐《かい》なき事などを考えこむ場合があった。

(武辺らしくもなき方よ)

家形であり統領たる者は坊主《ぼうず》のように無念無想の心など考える必要は毛頭ない。戦うて戦うて、ひたすら勝つことのみに専心すればよいのだ、とこの弟は率直明快に割りきっている。

「まだそちにはわかるまい。だがやがて思い当る」

宗麟は弟にたいしてでなく自分に言いきかせるように呟《つぶや》いた。


二十七日、国東の竹田津浦に数隻《せき》の船が入った。

約に従い晴英を迎えるため陶隆房をはじめ杉隆相《たかすけ》、飯田《いいだ》興永が現われたのである。二隻の船は大友水軍の北浦部衆のうち竹田津源助の指揮する小舟に守られながら紋幕を張りめぐらせた浜に着いた。出迎えた田北鑑生ほか数名の重臣が恭《うやうや》しく白い浜辺に出て陶隆房たちに頭をさげた。

隆房は背は低かったが、骨格たくましかった。父の陶興房《おきふさ》は武将としてだけではなく和歌、連歌も巧みで京都の公卿とも交流があった。しかし隆房は主人である大内義隆が文弱に流れるのに反撥《はんぱつ》して兵を起しただけあって、その四角い容貌《ようぼう》も軍人らしく陽《ひ》にやけ、笑いの少い、厳しい表情の持主である。

府内に入った彼等は正月五日までの間に幾度か大友家の同紋衆や加判衆に会い、宗麟や晴英の謁見《えつけん》を受けている。そして正月五日、大友屋敷で厳粛に晴英の養子とりきめの儀式が行われた。

大友側で列席したのは出迎えた田北鑑生《あきなり》、雄城《おぎ》治景《はるかげ》、吉岡長増《ながます》、小原《おばら》鑑元《あきもと》、志賀親守《ちかもり》たちである。

だが宗麟は府内に滞在した隆房と数度会見したが何となく肌《はだ》が合わないものを感じた。

もちろん隆房は宗麟の前で姿勢を崩さず、謹厳そのものだった。だが酒宴の折、たまたま談が幸若舞《こうわかまい》に及んだ時、連歌や和歌やこうしたものを好む宗麟をちらと軽侮の色を浮かべた眼で見た。その視線を宗麟ははっきり感じた。

(この男、府内にあって何事か調べ劃策《かくさく》しているのではないか)

疑念はその時、起った。そういえば隆房の陽にやけた容貌《ようぼう》は昔、宗麟を教育し、そのくせ蔭《かげ》で陰謀を企《たく》んだ入田親誠を連想させた。

宗麟はひそかに隆房の宿泊している宿舎の周りを偵察《ていさつ》させた。家形とは常時、油断なく家臣たちの動きを見張っておかねばならぬものと彼は思っていた。

二十四日、晴英は陶隆房たちと竹田津を出港した。大友側からは橋爪《はしづめ》鑑実、吉弘《よしひろ》左近《さこん》大夫《だゆう》がつき従った。船中、隆房は晴英に誠意をもって仕えることを誓い、

「以後、隆房の名を改め、晴英さまの御名より一字を頂戴《ちょうだい》して晴賢《はるかた》と名のりたく存じます」

と殊勝な言葉を口に出した。

三月三日、一行が山口に到着するまでの道中、宿場、宿場に迎えた陶晴賢の家臣たちは新しい主人の晴英に最大の敬意を払い、陶晴賢自身もたえず臣下の礼を怠らなかった。兄の宗麟に吹きこまれていた疑念が晴英の心から春の雪のように少しずつ消えて、

（兄者は疑い深いお方よ。この男、誠意を以《もつ》て自分に仕えてくれている）

とほっと安心感が起った。

今までは部屋住みだった身が山口の木の香も新しい館《やかた》に住み、家臣たちに取り囲まれてみると周防、長門の大守となったという実感がひたひたと胸に押しよせた。

「憚《はばか》りながらお家形さまはお兄上とお違いになるとお見受け致しました」

新春、館の庭に梅が満開の夜、宴《うたげ》が開かれ、その満座で陶晴賢は晴英を見て手放しでほめた。

「お家形さまには文弱の御気配、毛ほどもお持ちではござりませぬ。向後大内家は、石見《いわみ》、安芸《あき》のみならず、九州の豊前、筑前にも威を振わねばなりませぬ。その大事の折、我ら家臣一同はお家形さまを主人に頂き、喜悦しております」

満座のなかでこのように賞讃《しょうさん》されて晴英は嬉《うれ》しさを抑えることができなかった。

「お家形さまの御威光に豊前宇佐郡の武士も次々と所領安堵《あんど》を願い出ております」

座敷のなかにどよめきが起った。陶晴賢はそのどよめきの拡《ひろ》がるのを計算し、次の声に力

を入れた。

「なにとぞ、これらの者たちの願い、次々とお聴き入れくださいますよう」

晴英の頭に出発前、兄ととり交した約束が蘇《よみがえ》った。

約束とは陶晴賢に心許してはならぬということと、豊前、筑前は大友家の所領であるから決して手を出してはならぬ、ということだった。

酔いと家臣たちの熱い視線が晴英の心を痺《しび》れさせ陶酔させた。

「聴き入れよう」

と盃《さかずき》を手にしたまま、彼は大守らしく鷹揚《おうよう》にうなずいてみせた。

家督をついで三ヶ月後、彼は豊前宇佐郡の土豪、佐田隆居の所領を安堵している。もともと佐田氏は大友氏にたいし時にはなびき、時には背く家だった。続いて九月には博多《はかた》の承天寺領を認めた。言いかえればこれら土豪たちを大友氏から切り離し、万が一、大内、大友が戦うことがあれば晴英側に馳《は》せ参ずるよう仕組んだのである。


佐田隆居が大内氏に通じると、大友屋敷における定例の同紋衆、加判衆たちの談合では当然、晴英の意外な態度について議論がかわされた。

例によって宗麟は談合の席には姿をあらわさない。一同に自由な発言を許すという形をとっているが、委細についてはあとから臼杵《うすき》鑑速《あきすみ》や戸次《べっき》鑑連《あきつら》のような腹心から詳細に報告を受けるのが常だった。そのほうが客観的に同紋衆、重臣の思惑がわかるからである。

「御推測通り、大友家の威信にかかわる事ゆえ、ただちに兵を送り、周防、長門に内通致した者たちを懲《こら》しめよと申さるる方々と、しばらく静観あるべしと述べられる方々の二派に分れました」

臼杵鑑速はさすがに晴英の名を口に出すのを憚り、周防、長門という表現を使った。

「そうであるか」

と宗麟は眼を庭にむけてうなずいた。

「豊前に兵を送って心変りをしたる者を討てと申した面々は誰か」

「一万田《いちまだ》鑑相《あきすけ》殿にございます」

「鑑相がか」

一万田鑑相の血色のよい肉づき豊かな顔を宗麟は眼に浮かべた。父の大友義鑑《よしあき》の時代から同紋衆の重臣として信任あつかった老人である。

(鑑相の真意、どこにある)

もし豊前に兵を送れば、大内家に養子になったばかりの晴英は面目をたてるためにも宗麟と戦火を交えざるをえない。

軽薄な弟が陶晴賢の煽動《せんどう》にのったことははじめから推量できていた。陶晴賢はこれによって兄弟の仲をまず裂き、大内、大友間に亀裂を入れようとしているのだ。

（かかる奸策《かんさく》を鑑相ほどの者が見ぬけぬ筈《はず》がない）

このたび大内家に内通した佐田氏は元豊前守護、宇都宮信房《のぶふさ》の血を引き、佐田郷の地頭だったが、義鑑の時代、大内義隆が陶晴賢に三千の兵を与えて豊前に侵入させた時、佐田氏一族は晴賢に間道を教えて大友軍に奇襲をかけさせている。

そのような過去を持つ佐田氏を討てば、それは大友対大内の全面戦争の切掛けになりかねぬ。このことを承知の鑑相が膺懲《ようちよう》作戦を主張した真意はなにか。

「いつぞや陶晴賢が府内に滞在した折、あの男は鑑相と会うているか」

「いえ」

宗麟の疑惑を消すように臼杵鑑速は首をふった。

二階崩れの変以来、宗麟の心には人間不信の感情がうす黒い膜をはっている。信じていた腹心の家臣に父も殺されたが、それ以上に宗麟を教育してくれた入田親誠までがひそかに裏切工作をしていた事実が「誰も信じられぬ」という意識を胸中に作りあげたのだ。

彼の死の怯《おび》えもそこから生れていた。今日は忠誠を誓っている同紋衆や重臣たちも明日は反逆の弓ひいてくるやもしれぬ。叔父の菊池義武《よしたけ》も兄に兵を起したし、大内義隆は家老格の陶晴賢のクーデターのため自決せねばならなかった。

（余とてもいつ謀反《むほん》を起されるやもしれぬ）

夜なかに眼《め》ざめた時、不意に恐怖が胸をかすめる。死の実感が鋭い爪のように胸をえぐるのだ。

だから宗麟は心の底から誰も信じられなかった。今、弟の晴英《はるふさ》さえ、あれほど言いきかせたのに陶晴賢に操られ、豊前を攪乱《かくらん》しはじめたではないか。重臣の一万田鑑相が一方では温厚な微笑をたたえながら蔭では陶晴賢たちと謀《はか》って、何かを企んでいるかもしれぬ。

宗麟は心の動きを臼杵鑑速にさえうち明けなかった。彼はもっともらしくうなずき、

「晴英の不始末、何かの事情があるやもしれぬ。書状を送り、真意を問いただすまでは軽々しゅう兵を送りたくない」

とひとりごとのように呟いてみせた。宗麟としてはそれによって一万田鑑相の出かたをしばらく見るつもりだった。

家形《やかた》である宗麟の命令によって豊前への出兵は見送られたが、一万田鑑相は別にこれに異を唱えることをしなかった。血色いい、肉づき豊かな円満そのものの顔で大友屋敷に出仕し、怪しむべき何ものもなかった。

旧暦八月、沖の浜の子供たちは争って船着場に駆けだしていった。

ちょうど四日前、どの家でも小豆飯を神仏に供える八朔《はっさく》の祝日だった。また農家では主人

たちは威儀を正して作賞《さくぼ》めに出かける日でもあった。田一枚ごとに「作の神さま、地神さま、お蔭でようできました」とほめて廻《まわ》る習《ならわ》しである。

その祝いが終って四日目、沖の浜の船着場に、二人の南蛮人と一人の日本人とが鹿児島から小舟であらわれた。舟には宗麟に献上する珍奇な品々が載せられていた。

知らせを受けた宗麟は喜色満面で、

「かのザビエルと植田玄佐が戻ったか」

と叫んだという。

異国の、痩《や》せた神父、ザビエル神父だけはなぜか信ずることができると宗麟はいつか思うようになっていた。彼がザビエルのことをその後も忘れず懐《なつか》しく思うのは、あのみすぼらしい神父が宗麟たちとは生きる世界を異《こと》にしているからだった。家形である限り自分がおそらく決して一員にはなれぬ世界。しかし宗麟の心のどこかでは手の届かぬその世界を夏の日に純白な雲をみるように羨《うらや》むものがあった。

ただちに家臣を沖の浜まで迎えにやった。と、それを察知したかのように、

「奈多《なだ》御前さまが参られます」

と小姓が知らせにきた。奈多御前とは矢乃《やの》のことである。彼女がなぜ現われるのか、咄嗟《とっさ》に宗麟にはわかった。

「南蛮人たちがまた参りましたとか。あの者たちが万が一にも府内にて邪宗を広める心づも

りならば決してお許しなされますな」

こういう時の癖で彼女はきっと夫を見つめて迫った。

「女は政《まつりごと》に口を出さぬものぞ」

「よう存じております。しかしこれだけは申しあげねばなりませぬ。お家形さまがもし邪宗をお認めになりますれば、宇佐八幡《はちまん》を奉ずる宇佐郡の侍たちは怪しく動きましょう、その儀をようおわかりなされませ」

さすがに矢乃は宇佐八幡の分社である奈多八幡の宮司を父に持つだけあって、宗麟の痛いところを衝《つ》いてきた。

「更に御領内にはこの南蛮邪宗を憎むあまたの仏僧がおります。あの者たちをわざわざ怒らせてはなりませぬ」

「その話は既に耳に致している。もとより聞かずともよう承知をしておる。あの折も余の思うところ話したではないか。まず南蛮僧の数などたかがしれている。大内義隆殿は山口であの者たちの説法を許したが、そのため領内に騒動など起りは致さなかった。だが南蛮僧を運んで参った宝船はこの豊後《ぶんご》にも利を持って参る。それを余は勘考して天竺《てんじく》にも使いを送ったのだ」

「では邪宗をお広めなさるおつもりか」

矢乃は開きなおった。

「存分に邪宗をお広めなされませ。そのため殿に背く者が現われましても致し方ございますまい」

彼女は反逆者の出現を予言するように確信ありげな声を出した。宗麟は感情の激昂《げっこう》を妻のそばに坐《すわ》っている侍女を見ることでやっと抑えた。

母の面影《おもかげ》をどこか持っているこの侍女が哀願するように宗麟を見あげていた。その眼差《まなざ》しが怒りを抑えさせた。


「ザビエル殿は」

宗麟の聞きたいことは二つ。ザビエルの安否と帰国しなかった使者の植田玄佐のことである。

「神父《パードレ》ザビエルは日本には参られませぬ。今はマラッカと呼ぶ場所におります」

「植田玄佐は如何《いかが》致した」

「あのお方」とガゴ神父は眼を伏せた。「彼の地で病のため亡《な》くなられました」

日本人通訳アントニオの通訳ではそれくらいの会話で精一杯だった。印度総督からの手紙さえ完全に訳すことができない。

ちなみにこの時、府内に上陸したガゴ神父は一五二〇年、リスボアに生れた。二十六歳の時にザビエルの所属するイエズス会に入り、後にゴアに派遣されて布教に従事した。ザビエルは前からこのガゴ神父を日本に送ることを考えていたが、府内から帰国した後、この考えを早速実行したのである。

宗麟と二度目の会見の折にガゴ神父たちを助けるため、山口から通訳としてフェルナンデス修道士が駆けつけた。

スペイン生れのこの修道士はもともと絹やビロードの商人だったが後に誓願をたててイエズス会に入っている。語学には天才的才能のある人でザビエルと共に渡日して以来、短期間で日本語に熟達した。

フェルナンデスと日本人アントニオとの通訳で宗麟は印度総督の返事を読み、ガゴ神父たちの府内での布教を許した。

ザビエルと問答をかわした時は大友屋敷の庭には枯葉が舞っていたが、その庭に今は残暑の暑さがこもり、蟬《せみ》がしきりと鳴いている。

「たずねたきことが幾つかある」

しばし雑談をかわした後、庭に眼をやった宗麟はちらと含羞《がんしゅう》のにじんだ表情を浮かべた。通訳をしていたフェルナンデス修道士は日本人のこの大守が思いがけず内気なのに驚いた。

「何なりとおうかがいします」

「ザビエル殿はデウスの宗旨教義について幾度か語られた。御教えまことに深く有難きものではあるが、正直申して余には守り続けることはできぬと思うた」

額に汗を浮かべながらフェルナンデスが懸命に忠実に通訳すると、許されて室内におかれた床几《しょうぎ》に腰かけたガゴ神父はその通訳の一語一語にうなずき、

「なぜでございます」

と実にふしぎそうな顔をした。

「なぜ、と申されるか。家形である限り、刃向う者、裏切る者と戦わねばならぬ。そなたたちの宗旨は殺すなかれと説き、敵にたいしても慈悲を持てと教えている」

「その通りでございます。だがわれらの教会《エクレシア》とて戦わねばならぬ場合のあることも承知しております。おのれが欲によって刀をとることを禁じておるのでございます。戦《いくさ》には善《よ》き戦もあれば悪《あ》しき戦もございます」

「ほう、善き戦と悪しき戦とか」

「われらが神を信ずる者たちが異教徒《ゼンチヨ》によって侵され、殺されます時、それを防がねばならぬ戦もございましょう。されど弓矢をとる戦のみが戦ではございませぬ。われらの戦とはおのれの邪心との戦でございます」

「よいか」

宗麟はガゴ神父のあまりに単純な答えにいらだたしげに首をふった。

「では尊師が余ならばどうするか。余のごとく多くの家臣を養い、そのため領国を守らねば

ならぬ身ならば如何するか」

ガゴ神父はこの大守が真剣に何かを求めているのを感じた。少くともこの日本人の王がガゴの信ずる宗教に無関心ではないことがわかった。

「私には……どのようにお答えしてよいか……わかりませぬ」

神父は自分も正直誠実に答えねばならぬと思った。

「私はお家形さまの立場ではございませぬ。だが私にも今日まで私なりの戦がございました。今も私は戦うております。お家形さまと同じように苦しみ迷うこともございます。しかしその毎度、私は私の神に祈ることができます。神に祈り、こう申すことができます。願わくば御旨《おむね》に添うように、と。お家形さまも戦わねばなりませぬ。その御身分のなかで、そのお辛《つら》さと苦しみのなかで」

突然、宗麟は野良犬《のらいぬ》のように哀《かな》しげな眼でガゴ神父をみつめた。沈黙がしばらく続いた。

「そなた……他人《ひと》を……信じることができるか」

と彼は秘密でもうち明けるようにひくい声で、

「余は心より他人《ひと》を信じることができぬ。家形である身として……余は一族家臣はもとより身の周りの誰をも、いや……おのれの心さえも信じられぬことだ」

今日までこのような内面の告白をガゴ神父は修道院では何度か聞いてきた。修道院のなかでは神父や修道士たちがその人間的苦しみを上司だけに告白するのが習しだからである。だが日本人の、しかも領主たる男の口からこのような言葉を聞くとは思っていなかった。

「なぜでございます」

「信じていた一族に裏切られ、頼みとしていた家臣に背かれることは今の世の家形には珍しくない。余の父も、余の叔父もそうであった」

「裏切り、背くのはその者たちに現世での力や現世での欲を求める心があるからでございましょう。日本ではどのお家形さまもそれらの者たちの欲をそれぞれ満たしてやることで力を保っておられます。しかし人間の欲には際限《きり》がございませぬ。際限がないゆえに謀反も反乱も絶えませぬ」

宗麟はびっくりしたようにガゴ神父を凝視した。

「されば御家来をひとつに結び固めるに人間の欲をもってなされますな」

ガゴ神父の答えに宗麟の眼は好奇心で赫《かがや》いた。

「われらが僧院で修行するものはすべて現世の欲を捨てた者ばかりにございますが、それでもひとつの心に強く結ばれております。僧院の長《おさ》が命ぜらるることには抗《あらが》うことなく直ちに従います。この私の長はザビエル神父でございますが、あの方が私たちに日本に向えと申された時、私たちはその指図に悦《よろこ》んで従いました。従うたのは欲や得《とく》のためではなく、われらが共に同じ信心に結ばれあのお方が優れた徳の持主なればこそでございます」

ガゴ神父の声も通訳するフェルナンデスの声も静かで、衒《てら》いもなく押しつけがましくもなかったから宗麟は素直にその声に耳を傾けることができた。だがガゴ神父は結論を急ぎすぎた。

「殿もわれらと同じように御家来たちと心と心で結ばれては如何でございましょう。神父《パードレ》ザビエルもお家形さまのわれらの宗門に入られることを切に祈っておられます」

途端に宗麟の表情は白け、困惑の色がありありとうかび、

「それは今はできぬ」

と首をふった。

「余の家臣たちの多くは仏教を信心し、宇佐の八幡宮を奉じている。余の妻も国東《くにさき》の大きな社の出である。余がそなたたちの宗門に入れば、いかように騒ぎたつかわからぬ。尊師たちの教えをまこと余は会得《えとく》致したいと思う。会得してこの心の怖《おそ》れを消したいと思う。だが家形である身には諦《あきら》めねばならぬものもある」

ガゴ神父は自分が性急だったことを後悔した。彼の師のザビエルは出発前にガゴに日本という泥沼《どろぬま》には忍耐強くひとつ、ひとつ踏石を置かねばならぬと言った。

大友屋敷を退出したあと、ガゴはひとまず山口に赴き、そこで布教を続けているトルレス神父に日本布教のやり方を相談する必要を感じた。

怖れていた謀反《むほん》が計画されていた。

謀反の背景には陶晴賢《すえはるかた》とそれに操られている大内晴英《はるふさ》があった。晴英はあたらしい家形として家臣たちに晴れがましい手柄《てがら》をみせねばならなかった。兄に手を出すなと言われている豊前《ぶぜん》の土豪たちに次々と所領安堵状《あんどじょう》を出したのはそのためである。佐田隆居について、九月、博多《はかた》承天寺領を安堵したことは先に書いたが、大内晴英は十月には更に宇佐郡、香志《こうし》田《た》種重の知行地や宝陀《ほうだ》寺の寺領を認めている。豊前地方はもともと大内氏の重臣杉重矩《すぎしげのり》が守護代となっていた地方ではあるが、大友家も宗麟の父、義鑑《よしあき》の代からここを狙《ねら》っており、大内家の独占を許さなかった。

だが宗麟はこれに表だった抗議をわざとしなかった。

その代り——

彼は疑惑を抱いていた一万田鑑相の動きを探らせていた。同紋衆の一人であり、血色のいい小肥《こぶと》りの老人は思慮分別ありげであるゆえにかえって宗麟の疑心を刺激した。鑑相は大内側が豊前の土豪を次々とゆさぶるたびに大友屋敷での談合で大友家の名誉を守るため兵を出すべしと主張した。彼の言葉は理にかなっているだけに慎重派の連中もいつかは耳を傾けだしたが、

「ならぬ」

と宗麟はあくまでこの意見を退けた。一万田鑑相がどう出るかを見るためである。

十二月になると大内晴英は図に乗ったように宇佐郡三十六人衆の土豪たちを次々と調略しはじめた。

それに呼応したように一万田鑑相と宗像鑑久《むなかたあきひさ》や服部右京亮《はっとりうきようのすけ》とが佐田隆居たちと互いに連絡をとっていることが宗麟の密偵《みつてい》によってわかった。この三人のうち一万田氏と宗像氏とは同紋衆であり、服部右京亮とも血のつながりがある。

（先手をうたねばならぬ）

家中の謀反にたいして僅《わず》かの気のゆるみが命取りになることは大内義隆《よしたか》の例でもわかっている。彼等が宇佐郡の土豪や菊池義武《よしたけ》の乱以後も反意をくすぶらせている肥後と呼応する可能性が大いにあると宗麟はみた。いや、宗麟の父、義鑑も家来の手にかかって殺されたのだ。

正月が来た。宗麟は二日の大友屋敷での参賀に一万田鑑相が相変らず、にこやかに祝いの言葉をのべるのを聞いた。血色のいいその温顔。

（余には誰も信じられぬ）

宗麟はガゴ神父にうち明けた自分の言葉を嚙《か》みしめた。誰一人、信じられぬ。刺《とげ》のささったような胸の痛み。そして寂しさ。

身近に仕える賀来《かく》民部、将監《しようげん》の二兄弟と山下二郎左衛門とを呼んだ。

「わけは知らずともよい」

と宗麟は家形の威厳を保ちながら命じた。

「正月四日の夜、かの者たちの気がゆるんだ時刻に襲え」

三人は平伏してこの命を受けた。彼等が去ったあと、宗麟は部屋が突然、空虚になったのを感じた。その空虚はまた彼の心の空虚でもあった。

宗麟《そうりん》対元就《もとなり》

命令を受けた賀来《かく》民部とその弟、将監《しょうげん》、それに山下二郎左衛門は一万田《いちまだ》鑑相《あきすけ》、宗像鑑久《むなかたあきひさ》、服部右京亮《うきょうのすけ》の邸《やしき》に夜襲をかけた。賀来、山下、いずれも他紋衆の侍で、同紋衆への一万田たちには嫉妬《しっと》がある。宗麟はその感情を利用したのである。

まだ正月が三日すぎたばかりの深夜ゆえ、府内いずれの家々も気をゆるめ、熟睡していた。

突然、犬があちこちで鳴きはじめた。眠りを覚まされた城下町の者たちが戸外に飛び出すと既に一万田鑑相の邸が火煙に包まれ、怒号や喚声が炎のなかから波のようにどっと聞えた。

大友屋敷内にも燭《しょく》があまたともされ、変事をはじめて知って駆けのぼってくる家臣たちのため門が開かれた。門内では篝火《かがりび》の火の粉が武装した兵たちのまわりに虫のように飛び散った。

やがて広間に何人かの加判衆を伴った宗麟自身があらわれた。宗麟が着座すると、加判衆を代表して戸次鑑連《べっきあきつら》が一同に事情を説明した。

「一万田鑑相、宗像鑑久、服部右京亮、この者たち、謀反《むほん》の心あるにより御成敗仰《おお》せつけられ候《そうろう》」

説明は簡単であり、理由は何ひとつ説明されなかったが、茫然《ぼうぜん》として広間の家臣たちは——同紋衆をふくめて——この沙汰《さた》をきいた。

「もしこの儀につき、異を含む者あらば、ただちにそれぞれの城に立ちかえり兵を起すこと苦しからずとのお家形《やかた》さまの仰せである」

広間は息をのんで静寂そのものだった。

家督をついで以来、宗麟が一族をふくめ家臣たちにかほど強圧的に対決したことはない。だから一同、圧倒され、気おくれして着座していた。

フロイスの「日本史」にはこの日の大友屋敷の光景を目撃したガゴ神父たちの体験談を記述している。ちなみに山口に赴いたガゴ神父はこの謀反事件の直前に府内に戻ったのである。

一行が山口から到着した直後、府内の市《まち》は国王（宗麟）を殺害しようとする三人の大身によって動乱の巷《ちまた》と化した……司祭（ガゴ）は国王が非常な苦境におかれていると判断してジョアン・フェルナンデス修道士を国王のもとに派遣した。それは彼が国王と語りあえるか、様子を見てくるためであり、また国王にたいし、神《デウス》は善意の人を助け、あらゆる危険から救い給《たま》うことゆえ、殿は勇気を出すように自分は祈るであろうと伝言させるためだった。

修道士が館《やかた》に赴いたところ、武士たちがいっぱいで皆、混乱、興奮していて誰が敵で誰が味方かわからぬくらいだった。ただし謀反者を追跡する重臣たちが部下を率いているのだけは認められた。

ジョアン・フェルナンデス修道士がこうして国王と談を交え得るかどうか思案していたところ、折よく国王は修道士がいた一つの戸を開いた。そこでは修道士が斬首《ざんしゅ》されまいかと少からず怖《おそ》れて待機していたのである。彼は国王を認めると司祭の伝言をつたえた。すると国王は自分のために神に祈ってもらいたいと謙虚に頼み、非常に悦《よろこ》んだ。（松田毅一《きいち》、川崎桃太訳）

賀来民部を隊長とする襲撃隊から返り血をあびた使いが屋敷に駆けこんできた。

「一万田鑑相親子をただ今討ち取りました。されど、われらが主人、賀来民部は切り死に致しました」

宗麟は奥の間でこの報告を聞いたが、その眼《め》は石のように冷たく、何の感情もあらわれていなかった。

一万田だけでなく、宗像鑑久、服部右京亮も夜が白む頃《ころ》までにそれぞれ邸に火をかけられ火中で自刃《じじん》していた。

「これにてお家形さまの御威光、家中を圧し」

と臼杵《うすき》鑑速《あきすみ》と戸次鑑連とがほっとしたように言った。

「向後の禍根《かこん》、断ち切りましてございます」

二人が年上の一万田鑑相と何となく反《そり》が合わなかったことを宗麟は知っていた。彼等が言おうとしているのは一万田鑑相ほどの重臣をも容赦なく制裁したことで宗麟の家形としての地位に迫力がついたということだった。

宗麟はもちろんそれを計算していた。計算した上で今度の成敗も決行したのである。しかし彼はこれによって「向後の禍根を断ち切った」とは思わなかった。ガゴ神父が言ったように土地と力との欲望が家臣たちの心に存在する限り、宗麟に謀反を起す者は決して絶えぬだろう。

「かの者たちの家族は如何《いかが》いたしますか」

と臼杵鑑速は当然のことのように一万田、宗像、服部の家族の処分をたずねた。

この時代、謀反を起した者の妻子はおおむね処刑するのが習わしだった。織田《おだ》信長が荒木村重の家族をことごとく殺し、豊臣秀吉《とよとみひでよし》が甥《おい》の秀次を自決せしめた時、その妻妾《さいしょう》、子供に至るまで三条河原で処分したのがその例である。それは彼等の復讐《ふくしゅう》を断つためのやむをえぬ手段でもあった。大友家の場合もフロイスがその「日本史」で次のように書いている。

「豊後《ぶんご》の国王が謀反人を処罰する際、とる方法は……家もさっそく焼き、彼と家族の記憶は消滅される」

宗麟は眼を外に向けて答えた。

「不憫《ふびん》なれど鑑相と鑑久の類、絶たねばならぬ。されど服部右京亮は余にとり、外縁なれば、後に沙汰したい」

群衆の騒ぎと豆のはじけるような音がこの時、町のほうからひときわ高く聞えた。

あとでわかったのだが、騒ぎは三人の邸を包んだ火炎が府内の家々に燃え移ったからである。

当時の藁《わら》ぶき屋根は火事になると類焼しやすかった。府内のあちこちに火が起り、あわてて人々は家財を荷車にのせ、年寄りや子供の手を引き海浜のほうに逃げた。この事件で三百戸の家が焼失したという。

「この夜、国王（宗麟）はさっそく一人の武士を（ガゴ）神父の許《もと》に派遣し、暴動はもはや鎮圧され、万事、好都合に捗《はかど》ったから心配することはない、汝等《なんじ》の家財は焼失したと思われるが、余がその損害を償いたいと伝えさせた」

とフロイスは「日本史」のなかで書いている。

「ガゴ神父はその伝言に謝意を表し、何も失いはしなかったと報告させたところ、国王はそれをきいてはなはだ悦んだ。四、五日後、ガゴ神父は彼（宗麟）をたずね、情勢に応じて談を交えた……」

この際、宗麟は自分の心を率直にのべている。

「家臣の謀反は向後も次々と起きるであろう。それを防ぐためにそとめは従順を装っている家来も疑わねばならぬ。余は一生……世も人をも信じられぬであろうか」

彼は自嘲《じちょう》するように苦笑してみせたがガゴ神父はこの苦笑の背後に宗麟の哀《かな》しさを感じ、

「いえ、いつかは」

と励ました。

「お家形さまはあるお方だけは信じられます。そのお方とは……富もなく力もなく、あわれにもみじめに見えましょうが、生涯《しょうがい》、何事がありましょうともお家形さまを裏切りませぬ、お家形さまから離れませぬ」

「そなたたちの信じているあの男……のことか」

いつか眼にしたロザリオの裸のキリストを思いだして宗麟はまたも苦笑した。そして、

「げにも、あの男は、余の眼には哀れ、みじめに見えたぞ」

と呟《つぶや》いた。

ガゴ神父と会話をかわした時、宗麟は決して嘘《うそ》を言ってはいない。宗麟をとりまく世界――戦い、奪い、裏切り、裏切られ、権力や地位を獲《え》ていく世界に宗麟は充《み》たされぬ何かを感じつづけてきた。そして、ザビエルのみすぼらしい孤独な姿を知ってから、自分たちと違う次元で生きるこんな人間もいるのかと思った。ザビエルのことを考えると遠く手の届かぬ山を歩いている孤高な人――そんな感じを宗麟は抱く。

(あのような男には余はなれぬ。だがあの男を蔑《さげす》む者も余は認めぬ)

彼が妻矢乃《やの》や家臣の非難がましい眼を意識しながらもガゴ神父たちの府内在住と領内での自由な布教を許したのは南蛮貿易の狙《ねら》いがあったが、それだけではなかった。短い間だがザビエルは宗麟の心に痕跡《こんせき》を残して日本を去った。その姿は日がたっても決して消えなかった。ガゴ神父と話を交してから数日、宗麟にはいつもと違って精神的な何かが拡《ひろ》がっていた。

「服部右京亮の妻子、如何、あいはからいましょうか」

そう近臣から聞かれた時、彼は、

「一万田や宗像と違い、右京亮は腹ちがいながら余の伯父にもあたる。妻子は府内の妙信寺におき、当分仏の道に生かせよ」

と答えたのは、やさしい気持が心を満潮のように充たしていたからだった。

そのやさしさが溢《あふ》れて彼は自分が直接、妙信寺に赴き、右京亮の妻にいたわりの言葉をかけようと思いたった。

妙信寺は当時、府内にあった大きな尼寺のうちの一つで、身分の高い武士たちの娘も時には嫁にいくまでここにあずけられることさえあった。

妙信寺の奥まった部屋で宗麟は右京亮の妻を謁見《えっけん》した。宗麟はやむをえず彼女の夫を自決させたが、それは家形としての義務だったことを教え、そのかわり服部家の家はその子によって継がせるという破格の許しも与えるつもりだった。

夕暮で、庭にはよごれた凍雪が少し残り、部屋のなかは暗かった。影のように平伏している女に宗麟は、

「案ずるな」

と声をかけ、面《おもて》をあげさせた。

似ている。女の、白く塗った丸顔が父の後妻となった女性の顔にあまりに似ている。突然、胸の底の古い傷が破れ、血が吹き出るのを宗麟は感じた。彼女を連れてきた尼僧《にそう》に宗麟は、

「去れ」

と命じた。

女の髪をつかんで引き倒した。気がついた時、彼は彼女の衣服を剝《は》ぎとり体を組みふせていた。白い丸い顔がこちらを矢乃のようにじっと見つめている。やがてその眼から泪《なみだ》が頰《ほお》を流れたが、泪をみると彼は更に残酷な衝動にかられて女の体を弄《もてあそ》んだ。

終った時、言いようのない空虚感に襲われた。

「ああ」

と宗麟は痛みの伴った声を出した。まぶたの裏にあの瘦《や》せた宣教師の孤独な姿が浮かんだ。

(余は何も信じられぬ)と彼は呻《うめ》いた。(とりわけこのおのれが……)

あのザビエルの世界。自分の手の届かぬ遠い山の斜面をあの男は一人で歩いている……。


「いずれは、この爺《じい》がな」

安芸《あき》の吉田庄《しょう》(現広島県吉田町)から生命力の強い雑草のように生育し周囲を侵蝕《しんしょく》して一応は大内氏の下についたが、機会をじっと窺《うかが》っている梟雄《きょうゆう》は孫を膝《ひざ》におき真面目《まじめ》な顔をして小さな耳にこう囁《ささや》いたという。

「中国のすべてを奪い取って、そちにくれてやろうぞ」

三歳の孫とは彼の長男、隆元《たかもと》の子、後の輝元《てるもと》である。そしてこの五十九歳の梟雄は毛利元《もと》就《なり》と言った。

同じ武将でも血統すぐれ、祖先より伝わった家門や家臣たちに支えられた宗麟のような貴公子とちがって元就は幼少の頃から辛酸をなめつくし、辛抱しながらあらゆる術策を弄《ろう》して力を拡大した男である。

孫の耳もとで囁いた言葉は毛利元就にとって決して戯言《ざれごと》ではなかった。

彼は情勢によって大内氏や出雲《いずも》の尼子氏に服従したり反抗する姿勢をみせながら長年、蜘蛛《くも》のようにそっと好機を狙っていた。そして婚姻や養子縁組で宍戸《ししど》、吉川《きっかわ》、小早川のような諸豪を血縁に抱きこみ、また一族のうちでも特に反抗姿勢をみせる井上氏を誅伐《ちゅうばつ》して毛利氏の地盤を固めた。

待っていた機会が到来した。陶晴賢《すえはるかた》が大内義隆《よしたか》を弑逆《しいぎゃく》し、宗麟の弟の晴英《はるふさ》を大内氏の形だけの後継者に迎えて支配権を握ろうとしたからである。

謀反は安芸や備中《びっちゅう》の国衆たちを大内氏から離反させる切掛にもなった。これら芸備の土豪たちは元就をかついで陶晴賢に反意を示したのである。

弘治《こうじ》元年五月、陶と毛利の二つの勢力は厳島《いつくしま》で激突した。

というより、梟雄元就は小勢をもって晴賢の大軍を撃破するには狭い小島に敵を誘いこむ作戦しかないと考え、厳島を決戦場に選んだ。

まず彼はこの島に囮《おとり》城を作った。現在、厳島の宮島桟橋《さんばし》の右前方にある小さな山がそれである。今は城跡らしいものは何も残っていないが、そこの表示板に書かれているように「数個の廓《くるわ》に分れ、味方の水軍と連絡できる海城の特色を持ち」城兵五百人がたてこもったという。城の名は宮ノ尾城という。

この囮作戦に戦いなれた陶晴賢が引っかかった。

晴賢は約百隻《せき》の水軍を派遣してこの宮ノ尾城を攻撃し周りを焼きうちにした。

城兵は頑強《がんきょう》に抵抗、更に元就の子、隆元が背後を攪乱《かくらん》、陶晴賢軍は仕方なく引きあげざるをえなかった。

その後小競合《こぜりあ》いが繰りかえされると、たまりかねた晴賢は全軍二万を率いて九月二十一日厳島に渡り、宮ノ尾城を陥《おと》す決心をした。遂に罠《わな》に引っかかったのである。

彼は島に上陸すると現在の神殿の南の丘に本陣をおき、更に朱塗りの五重塔が今も残る塔の岡に前進。ここで指揮をとって全軍総攻撃を命じた。

昼夜をわかたぬ猛攻がはじまった。宮ノ尾城五百の城兵は必死に城を守ったが、水の手は断たれ、櫓《やぐら》は傾き、しかも鉄砲という新兵器によってさんざんに悩まされた。しかし彼等の気力を支えたのは必ず元就の本隊が救援にくるという希望だった。

その期待に応《こた》えるため元就は敵の油断する日をじっと待った。九月三十日、酉《とり》の刻（午後六時頃）から烈《はげ》しい雨が降りだした時、敢《あ》えて彼が全軍の出陣を命じたのはもちろん敵の油断を狙ってである。

暴風雨のなかを毛利の水軍は陶軍の陣営とは山を隔てた包《つつみ》ヶ浦《うら》をめざして海をわたった。上陸後、博奕尾《ばくちお》の山をこえ、逆落しに塔の岡の敵に突撃をした。

陶軍は防戦の暇《いとま》もなく、総崩れになって神社の裏を大江浦の方向へ敗走した。陶晴賢もこの大江浦にむかって逃げ、その間家臣の弘中隆包がわずか五百の兵で毛利方の吉川元春勢と戦った。この時、戦火が厳島神社に移るのを防ぐため吉川元春は戦闘を一時中止して消火につとめている。

大江浦まで逃げた陶晴賢は小早川隆景《たかかげ》勢と吉川元春との毛利勢に追いたてられてそこから西にある高安ヶ原まで逃亡、脱走する小舟をむなしく探したが遂に自刃の覚悟をきめて山中に入った。

「陰徳太平記」によると、彼の辞世の句は左の通りである。

なにを惜しみなにを恨みんもとよりも
このありさまの定まれる身に

厳島決戦の結果は朝がた、府内、大友屋敷に早馬で届いた。大友屋敷に着いた時、既に秋冷の候だというのに早馬の馬体から湯気がたっていた。

「火急の知らせにございます」

切迫したその声に宗麟は体を起して、謀反《むほん》か、と思った。

だがそれは、彼が怖れていた謀反ではなかった。陶晴賢の戦死の報だった。

「あの男が……」

宗麟は寝床の上に坐《すわ》ってかすかに身を震わせた。まぶたには小肥《こぶと》りだが精悍《せいかん》そのものの晴賢の姿が痛いほど蘇《よみがえ》った。叔父の大内義隆が自刃してから五年もたたぬうちに叔父を殺した晴賢も死に追いこまれたのだ。

(覇者《はしゃ》は次々と死んでいく。この下剋上《げこくじょう》の世、余とても何時《いつ》……)

宗麟は陶晴賢が死の瞬間、何を思ったか、それが知りたかった。まさに自決せんとする晴賢の心をおのれのそれに重ねあわせ考えて秋の空気のなかで彼はじっと坐っていた。

当日の談合で議題はまずこの毛利元就はいかなる人物で、今後、どう出てくるかに集中した。第二に元就は宗麟の弟で大内家の養子となった晴英にたいして戦を挑《いど》むかという問題が論じられた。

「晴英さまはまだ山口に参られて日が浅い。陶晴賢が亡《な》き今、果して元就と戦うお力がおありであろうか」

加判衆の一人、戸次鑑連《べっきあきつら》が口を切った。

「芸備はもとより周防《すおう》、長州の国人、土豪たちは続々と大内家より離反しつつありとの噂《うわさ》、もっぱらでござる」

臼杵《うすき》鑑速《あきすみ》をはじめ他の加判衆たちが黙っていたのは戸次鑑連の報告がいつも正しかったからである。

(晴英は……今、どのような心境であろう)

宗麟はこういう時の癖で視線を庭のほうに向けながら、同じ母の子でありながら自分とちがい快活で健康で、すべてを単純明快に割りきれる弟の顔を思い出していた。陽《ひ》に焼けて笑顔が魅力的な弟。あの弟を助けてやらねばならぬ。

「元就とは、如何《いか》なる者か」

と彼は眉《まゆ》を憂《うれ》いで翳《かげ》らせて加判衆にたずねた。

正直、彼も——重臣たちのほとんども——この厳島決戦の急報が届くまでは安芸吉田庄などという遠隔の土地に住む男の存在などほとんど気にもしていなかった。彼等にとって中国で関心あるのはライバルでもあり遠縁でもある大内家の人間たちだけだった。

「みどもも初めて聞き及びましたが謀略にすぐれた智慧者《ちえしゃ》のごとくにござります」

と戸次鑑連が答えた。戸次鑑連も元就については知ること乏しかったが、たまたま彼の館《やかた》に来た旅僧からこんな話を聞いたと言って一同に披露《ひろう》した。

かつて元就が石見《いわみ》の青尾出羽守《でわのかみ》友梅の城を囲んで長期戦になった時、友梅は元就の家来で知りあいの井上甚右衛門《じんえもん》という男を城によびわざと城内をみさせた。城内では大盥《おおだらい》に満々と水をはり、数頭の馬を洗っていたし、塀《へい》の裏には米俵がうずたかく積まれていた。

元就の陣屋に戻ってきた井上甚右衛門がその報告をすると元就は声をたてて笑い、

「幼稚《おさ》なき欺《あざむ》きかたを致すものよ。それこそ城内に水も兵糧《ひょうろう》も乏しくなることを匿《かく》すためであろう」

と言い、逆に櫓を組みあげて攻めに攻めた。その言葉通り、城内は兵糧も水も尽きかけていたので、城は二十日余で落ちたという。

（それが智慧者か）

宗麟は口には出さなかったが、そのような元就を智慧者という鑑連にかすかな蔑《さげす》みを感じた。

元就のような才覚は国人、土豪あがりに特有のもので、たんに城攻めや小戦闘に通ずる思いつきにすぎない。本当の智慧者と言うはもっと大規模に天下を俯瞰《ふかん》し将軍や公卿《くぎょう》を動かして戦わずとも勢力を増していく者をいうのだ。

（そのことにまだまだ元就は気づくまい）

不安をうち消すため宗麟は心にそう言いきかせた。戦いだけが経国のすべてではないのだ。元就という男の能力は戦上手という点だけに限られているのではないのか。

重臣たちの談合は大事な次の議題に移った。既に大内義長《よしなが》と改名をしているが、ここ府内の重臣たちが相変らず「晴英様」と呼ぶ宗麟の弟を援《たす》けるべきか、否《いな》かで議論は沸騰《ふっとう》した。両派の主張がいつまでも続いたあと臼杵鑑速がいつものように書院に退いている宗麟の意見を聞きにいった。

「そうか」

と黙考した後に宗麟は両派を妥協させるような言葉を出した。

「しばらく元就の出かたを見てはどうか」

一万田や宗像たちの謀反を弾圧したあと領外で大きな作戦を行う不利を彼は怖《おそ》れたのであ

る。ともかくも陶晴賢ほどの男を打ち破った元就である。もし大友水軍が海上作戦で敗れれば、それだけで息をひそめている肥後や豊前《ぶぜん》の不平分子たちがまた新しい反乱を起さぬとは限らぬ。

それが宗麟にはこわい。矛盾した彼の性格のなかには慎重と弱気とが背中あわせになっていて、この時、それが出た。

晴英とも親しかった臼杵鑑速は敏感にそれを感じ、瞬間白けたような表情を出した。

「よいか、元就と戦う前に」

と宗麟は強い声で制した。そういう家形《やかた》としての貫禄《かんろく》をこの頃《ころ》彼はようやく身につけてきた。

「やらねばならぬ手がある。都の将軍、義輝《よしてる》さまに今より以上、忠誠を誓い、太刀、馬銭を懈怠《けたい》なくお贈り申しあげ、一方、お取次役の勝光寺様には肥前守護として御下命あるよう、ねんごろに馳走《ちそう》申しあげよ。もしこの余が肥前守護職のみならず、豊前、筑前《ちくぜん》、筑後の守護職にも任ぜられ更には九州探題に補せられれば、たとえ毛利などが周防をかすめ取ろうとも我らには手が出せぬ」

鑑速は呆気《あっけ》にとられたように宗麟の発言をきいた。今の言葉を相もかわらぬ家形の夢想、空想ととるべきか、それとも実現可能なものなのか、彼には判別しかねた。

「毛利元就は今のところ、かの地、国人たちと戦うことで手一杯であろう。幕府も今は行末定まらぬ毛利をさほどの頼みとはなさるまい。さればこの間隙《かんげき》こそ利して、先に動かねばならぬ」

結局大友側はしばし毛利側の形勢や動きを静観することになった。毛利元就とてこの下剋上の毎日にあっては、陶晴賢と同様、いつ、誰にどこで寝首をかかれるかわからないのだ。

そのかわり宗麟は外交僧勝光寺慈心を通し将軍義輝側近の大館《おおだち》晴光、伊勢《いせ》貞孝《さだたか》にあまたの献上物を贈ることを怠らなかった。

だが毛利元就という男はすこぶる着実でしかも狡猾《こうかつ》だった。蛇《へび》のごとく聡《さと》く、狐《きつね》のごとく狡《ずる》かったのである。

たとえば彼が二男の元春を有力国衆である吉川家に、三男隆景を小早川家に相続させて、長男隆元と共に三つの大きな柱を作ったことはあまりに有名だが、しかし先にも書いたように一族であっても将来、謀反の種になりそうな者を容赦なく誅殺した。

たとえば一族の井上元兼《もとかね》である。井上家は元就が父を失って助けもなかった幼年時代、その所領を押領《おうりよう》したという親類の一人だが、その折の恨みを後年の彼は「既に四十年の事に候《そうろう》間、長しき堪忍《かんにん》、申すも愚かに候」と子供に語り、決して忘れなかった。しかし有力一族である井上家を戦力として使える間は使い、厳島合戦前に至ってその横暴を咎《とが》め粛清した。

このように元就は内部謀反の芽を断ち切り家中の団結を固めてから陶晴賢に反旗をひるがえしたのである。

そして厳島の奇襲作戦で大勝利を収めると、今度はその勢――というより勝運に乗じ一ヶ月後には大内晴英（正しくは大内義長）に挑戦《ちょうせん》した。元就は一方では堅実であり他方では決断も早かった。

「大友の水軍がうるさい」

絵図をひろげながら元就は三人の息子たちに言った。そして三男の小早川隆景には軍扇で防長の海を示しながら、

「陸路は父と兄とが攻め入る。されば隆景はすべて兵船を率い、大内水軍のみならず、大友の水軍の蠢動《しゅんどう》を抑えよ」

と命じた。

毛利の水軍は厳島の勝利以後、飛躍的に強力になっていた。最初、元就は大内氏から預った五、六十隻の水軍と隆景の兵船、六、七十隻しか持たなかったが、厳島の戦で伊予《いよ》の村上水軍も味方に引き入れた。この水軍を率いる武将たちは飯田《いいだ》氏、児玉《こだま》氏であり、これに村上水軍の来島《くるしま》氏、能島氏が加わった。後に毛利水軍が石山本願寺を助けるため織田信長の水軍をさんざんに撃破した時は千隻にも近い兵船を出動できたのである。

父の命令に隆景は瀬戸内海沿岸の周防由宇《ゆう》、伊賀地、上関《かみのせき》に至る海上をたえず警戒し、大

友宗麟が弟を助けるため船団を送るのを妨げた。

「毛利は五、六百隻《せき》にもなる兵船をくりだし、夜は篝火《かがりび》が列をつくり、蟻《あり》の這《は》い出る隙《すき》もござりませぬ」

宗麟の水軍のうち主力のひとつである国東《くにさき》の岐部《きべ》左近大夫《さこんだゆう》が大友屋敷に駆けつけて報告した。

「五、六百隻の軍船が……」

と宗麟も重臣たちも信じられなかった。

宗麟もかねてから水軍育成の必要は感じていた。宗麟の水軍は父親、義鑑《よしあき》が編成したものを受けついでおり、国東（浦部水軍）、別府湾（府内水軍）、臼杵湾（臼杵水軍）、海部《あまべ》（南海部水軍）からなりたっている。海部は佐《さ》伯《いき》、薬師寺氏など、臼杵湾や府内は若林、田口、深江、渡辺などの国衆、そして国東水軍は前記の岐部氏を主力として櫛来《くしく》、真玉、波多、都甲などの諸豪族が受け持った。

しかしそれら兵船すべてを掻《か》き集めても、能島、来島の兵船を加えて五、六百隻以上にも増強された毛利水軍に数においてとてもかなわない。大友水軍の規模は現在の海上保安庁のように沿岸警備が主な任務だったからである。

（いつの間に毛利元就《もとなり》、さほどまで伸《の》し上がったか）

宗麟も重臣たちも文字通り、棒で頭を叩《たた》かれたような強い衝撃を受けた。この間まではその名さえ気にもしなかった毛利という男を彼等はあまりにも侮《あなど》りすぎていた。

（晴英はどうなる）

宗麟は弟の今後の運命を思った。止めたにもかかわらず、あくまでも山口に行くと言い張った弟との対話のことも思いだした。家形とは辛《つら》いことぞと言いきかせた言葉も思いうかべた。

「周防の浜に兵を送る策はあるまいか」

と彼は岐部左近大夫を広間に呼んで重臣たちの前でたずねた。平伏した左近大夫は陽と潮風にやかれた頬骨《ほおぼね》のとがった顔をあげ、

「とてもあのおびただしき兵船を相手では……」

と当惑げに言葉を濁らせた。

余談になるが、岐部氏は国東半島の突端に城を持ち、かつては漁業のほか朝鮮貿易なども行うと共に岐部周辺で産出される鉄を掌握した豊かな一族で一時は大友家の加判衆にもなったが、宗麟時代にはやや往時の勢力を失っていた。

岐部一族には切支丹《キリシタン》に改宗した者もかなりいる。なかでも日本人として最初にアラブ砂漠《さばく》を横断してローマで学び、司祭となって日本に帰国した後、壮烈きわまる殉教をとげたペドロ・カスイ岐部は世には余り知られてないが、その生涯《しょうがい》はあまりに劇的である（拙著「銃と十字架」はこのペドロ岐部の伝記である）。

岐部氏を統率する左近大夫は全兵船を集めても周防に兵を送ることは不可能という。とすれば宗麟は弟のために毛利元就にたいして多少の牽制《けんせい》作戦を行う以外手はないのだ。

(元就が周防の国人たちに敗れればよいが……)

母を同じくする肉親だけに宗麟は現実になった弟の最後をまるで自分のそれのように怯《おび》えた。あとは晴英が何らかの調略によって毛利元就と和を結ぶこと——それしかないのだ。

元就は老獪《ろうかい》である。

豊後《ぶんご》水軍が小早川水軍に攻撃を挑んでこないのを見ると、宗麟の弱気を見ぬいて、

(かの意気地なきを今少し、弄《もてあそ》ぶべし)

と五十九歳のこの老人はほくそ笑んだ。

彼は宗麟の弱味を洞察《どうさつ》していた。大友領国は必ずしも絶対的な統一と結束が完成してはおらず、特に肥後や豊前、筑前には反大友の土豪たちが群居していることはなんとなく耳にしていた。

「豊後の若僧をいたぶりたい。策はないか」

と彼は家臣の小寺元武にたずねた。九州に祖先を持つ元武はこれら大友領の状勢に詳しかった。

「大友家には」と元武はうなずいて「昔よりいろいろと裂目がございます」

「ほう」

　と元就はやせた頰を片手でなでた。それが思案する時の彼の癖だった。

「たとえば大友一族と血縁を持つ同紋衆と、これに加われぬ国衆たちの他紋衆とが長きあいだ反目しあっておりました。とりわけ筑前、豊前、肥後には不平不満を持つ他紋衆の地侍たちが息をひそめ、折あらばと狙《ねら》っております……」

「やはりそうか」

　元就は幾度も頰をなで、

「宗麟は女に弱いか」

「噂《うわさ》では……謀反を企てた菊池義武《よしたけ》や服部右京亮《はっとりうきょうのすけ》の妻女を弄んだとか」

　話を聞きながら老人の頭は耳にした材料を結びあわせて謀略のすじ道を作っていた。

　元就の目的は自分が大内義長を攻める間、宗麟が弟を助けられぬように、大友領国を攪乱《かくらん》することにある。そして小寺元武の話はこの攪乱に打ってつけの内容だった。

「よいか」

　と彼は頰にあてた指を動かしながら、ひとつひとつの言葉をゆっくりと口にだした。

「そちは使者として豊後に赴き、若僧とよう談合して参れ。すなわち、この元就は豊前や筑前を大友家の御領国と思い、向後、指一本も触れぬとな。そのかわり我らが周防切り取りをなにとぞ、なにとぞ見逃されよ。これを腰を低うして頼んで参れ」

言い終って元就は可笑《おか》しげに笑った。

小寺元武は元就の名から「元」の一字をもらったほどの身近な臣だったから、主人が考えていることを直ちに感じとり、

「畏《かしこま》りました」

とこれも微笑しながら答えた。

策をうけて小寺元武は豊後に渡った。

その間、元就はわざと周防《すおう》への侵入は遅延した。十月中旬のことである。

そのかわり――

大内側に帰属している玖珂《くが》郡の蓮華《れんげ》山《さん》城に僧を送って城主の椙杜《すぎもり》房康に毛利側につくよう勧告させている。

勧告させながら、じっと小寺元武の返事を待っていた。

礼を尽し、腰を低くした元武の誠意を装った顔に宗麟の心は動いた。いや、それは意識下において彼がひそかに願っていた条件を毛利側が提示してきたからであろう。

（余は……晴英に幾度も幾度も大内家の家形などになるなと戒めたではないか。それを拒ん

だのは晴英ではないか)

彼はわれとわが心にそう言いきかせる。人間は自己弁解の理由をいくらでも作れる。それが家形
(大友家の統領である限り、余は何よりも豊前や筑前の安泰を考えねばならぬ。それが家形の勤めである)

毛利側の申し出に諾《だく》の返事を与えた後、やはり胸の隅《すみ》にうしろめたい何かが残った。あの亡《な》き母がじっと遠くから彼を見ている。見て哀《かな》しげに彼の非情さを責めている……。

そのうしろめたさを消すため、宗麟は女を求めた。

正室の矢乃《やの》はこのような夫のつらさを慰める女ではなかった。彼女は口を開けば府内で南蛮宣教師たちがその邪《よこし》まな教えを説き、少しずつ「人々の心、狂わせ」ていることを責め、それが宗麟の責任だと非難するのだった。

うしろめたさを忘れるためには性格の弱い宗麟には酒があった。酒に酔うと女をよび、肉体に溺《おぼ》れた。服部右京亮の妻だった女が犯されるたび黒髪を口にくわえ呵責《かしやく》にたえぬ表情をすると、宗麟の心はすさみ、うしろめたさをこの女の心の傷にあわせ、更に凌辱《りようじよく》を重ねた。

「辛いか。辛かろう」

と宗麟はわざとやさしげに女にたずねる。

「いいえ」

と、右京亮の妻はうつむいて呟《つぶや》いた。

「お家形《やかた》さまの御寵愛《ごちょうあい》をいただき……仕合せでございます」

「亡き夫、右京亮にすまぬ、と思わぬか」

女が心にもない嘘《うそ》をついていることを宗麟は感じた。

「もう忘れました、あの頃《ころ》のことは」

パードレ・ザビエルよ。母上よ。余は今、尊師や母上のおられる世界よりあまりに隔っている。余は母上や尊師の世界に憬《あこが》れながら、かくの如《ごと》く、肉の快楽に惑溺《わくでき》している。余もこの女もそうせざるをえない、弱き男女なのだ。余は尊師に会いたい、余は母上に会いたい。そして、かくの如く弱き者がいかように救われるのか、切に切に聴きたい。

「まこと右京亮のことは忘れたか」

「はい」

燭台《しょくだい》の芯《しん》が音をたて、女の眼から泪《なみだ》が流れる。宗麟は泪が頬を伝わるのをじっと眺《なが》め、このような行為をする自分が一体、何者なのか、彼にはそれさえわからなかった。

この時代の元就には宗麟のような人間的、精神的な苦悩がない。それが彼の強さだった。彼はひたすら彼の野望、当面の敵である石見《いわみ》の尼子氏と周防の大内氏とを倒すことだけに心を砕けばよい。この老人の関心のすべては毛利家盤石《ばんじゃく》の礎石を作り、中国全土を領有することにあった。

その彼が一番、怖《おそ》れたのは宗麟に両面作戦を強《し》いられ、兵力を寸断されることだった。即《すなわ》ち長年、戦ってきた石見の国の尼子と周防の大内とにやむをえず兵を向けねばならぬ時、更に九州大友氏が大内側に増援部隊を送ると苦戦に陥る。だが、その不安はまったく消えたようだ。

(宗麟は弟を見殺しに致すな)

元就の命をうけて小寺元武は大友家の同紋衆に反感を持つ他の衆の煽動《せんどう》にとりかかった。

弘治《こうじ》二年——つまり厳島の戦のあった翌年、大友家の重臣だが他紋衆である小原鑑元《あきもと》が同じ他紋衆の本庄《ほんじよう》新左衛門尉、中村長直、佐伯惟教《さいきこれのり》、賀来紀伊守《かくきいのかみ》たちと府内で反乱を起した。

先にも書いたように同紋衆と他紋衆の確執は昨日、今日はじまったことではない。宗麟が生れた享禄《きようろく》三年にも両派は些細《ささい》なことから戦《いくさ》に及び、同紋衆が府内にある他紋衆の本庄家と中村家の邸《やしき》を囲み、切りこんだ事件がある。同紋衆は更に賀来(現大分市賀来)の賀来氏の館《やかた》(現在の賀来神社)を襲撃、大分川で死者多数を出している。

その時、同紋衆の攻撃を受けた本庄、中村、賀来の三家に小原鑑元と賀来の親類である佐伯惟教が今度の反乱に加わった。

もちろん、背後で毛利元就の臣、小寺元武が糸を操ったのは言うまでもない。密命を受けた元武は二十数年前の一族の恨みを忘れぬ彼等に工作をしたのである。

これら他紋衆の暴発的反乱にたいして同紋衆の田北、志賀、戸次《べっき》、吉弘《よしひろ》の各氏が応戦した。府内はふたたび炎に包まれ、一万田《いちまだ》氏の謀反《むほん》の時と同じように煙のなかで切りあう敵味方の叫喚が渦《うず》まいた。家臣の内紛に狼狽《ろうばい》した宗麟はこの時、府内から離れて、臼杵鑑速《うすきあきすみ》の本領臼杵に一時避難したほどだった。

毛利元就の攪乱戦術は成功した。宗麟には弟を助ける余裕もなかった。

乱の翌年、元就はいよいよ本格的な周防侵入を企てる。一城また一城、次々と毛利に降伏する。大内義長《よしなが》（晴英）の運命は三月十日になると風前の灯《ともしび》になった。大内家旧臣の仁保《にほ》、小原、飯田《いいだ》、大庭、青景《あおかげ》の各氏も義長を見限って毛利に通じた。内藤隆世《たかよ》という重臣だけが主人の大内義長側についた。彼は義長を擁して山口を脱出し、現在の山口県豊浦郡長府にある内藤氏代々の城且山《かつやま》城にたて籠《こも》った。

報告を元就は水軍の乃美宗勝《のみむねかつ》から受けると、

「義長は必死であろうな」

息子と重臣たちに言った。

「だが城は一日も早う落さねばならぬ。戦が長引けば尼子氏も大内氏の残党も力をとり戻すゆえ、全軍あげて攻めに攻めよ」

と言った。

且山城は前は海に面し、背後は高山である。城の高さ三百九十米《メートル》。山は険しく、本丸から二の丸に至る山形はほとんど垂直である。

三月二十二日から且山城は四千の毛利軍に包囲された。その将は福原貞俊《ふくはらさだとし》である。だが険しいこの山城の攻撃は至難をきわめ、三月二十八日にやっと三の丸、二十九日に二の丸が陥ちたが肝心の本丸は頑強《がんきょう》な抵抗をつづけ、四月になっても陥落しない。

四月二日、攻撃軍から書簡をつけた矢が本丸に射こまれた。

城主の内藤隆世がこの矢文を開くと、

「元就。義長殿には露だに宿怨《しゅくえん》ございませぬゆえ御一命はお助け申し、その後は如何《いか》ようにもお望みの次第に委《ゆだ》ねます。されど内藤弾正忠《だんじょうのじょう》隆世については恨むすじがござれば切腹をお命じ頂きたく、もし隆世、自害の件、お許しなければ、是非もなく義長さまも討たざるをえませぬ」

という内容が書かれていた。

隆世は黙ってこの矢文を橋爪《はしづめ》鑑実に手渡した。橋爪鑑実は晴英と呼ばれた義長が豊後から山口に向った時、吉弘左近大夫と共に大友家から供をした側近である。

鑑実から矢文を見せられた義長は内藤隆世を見殺しにしておのれ一人が助命されるわけにはいかぬと答えた。

返事をきいた隆世は義長の部屋に伺候《しこう》して、橋爪、吉弘と共に理をつくして生きることを忠告した。

少くとも「陰徳太平記」の書く通りならば且山城内の主だった家臣たちは誰一人として老獪な毛利元就《もとなり》の言葉を疑う者はいなかった。

こうして内藤隆世は自決をすることになった。

当時、敵側の城将が自決する折はこちら側から検死役が送られ、切腹に立ちあうことになっている。

隆世の要請で毛利側は兼重左衛尉という男を送った。

義長たちに別離の挨拶《あいさつ》を終えた隆世はこの兼重の眼前で見事に切腹した。

義長は隆世の自決のあと且山城を出て長福寺という臨済《りんざい》宗の寺に逃れた。

愚かにも彼は人を信じすぎた。兄の宗麟のように孤独や懐疑を知らぬ彼は元就の矢文をそのまま信じた。

だが長福寺に逃れて間もなく急に寺の周辺が騒がしくなった。寺僧の一人が廊下をあわただしく駆けてくると、

「敵の軍勢が寺を囲んでおります」

と告げた。外を見ると毛利勢の旗があまた寺の周りを囲んでいる。やがて福原貞俊が軍装のまま現われ、義長の前にあぐらをかき不躾《ぶしつけ》にも真正面から凝視して、

「自害なされよ。主人、元就の厳命でござる」

と冷やかに言った。

脇息《きょうそく》をつかんだ義長は大声で罵《ののし》ったが福原貞俊は無言で立ちあがると冷たくくるりと背を向けて廊下を立ち去った。

長い沈黙のあと義長は行水を寺僧に頼んだ。死に際し何日も汗でよごれた体を清めたかった。

湯で戦塵《せんじん》にまみれた体をぬぐいながら義長は自分の人生があまりに短いと思った。大内の家督をついでわずか五年、生をうけて二十数年、今、すべてが終る。兄の言葉が頭を横切った。

「余には臨終の間、無念無想に住すべき心ができていない。家形であることは重いことぞ」

兄は援軍を送ってくれなかった。弟である自分を見殺しにした。しかし是非もない。

白装束に着がえて自刃《じじん》の部屋に赴いた。既に福原貞俊の家臣が検死役に控え、介錯《かいしゃく》の杉重光が正座して眼《め》を伏せている。杉重光は近習頭で十七歳である。

重光は大内家に代々伝わる、千鳥という刀を手に背後にまわった。寺の外からは毛利勢の軍鼓がひとしきり高くひびいた。

誘うとて何か恨みん時きては
嵐《あらし》のほかに花もこそ散れ

義長の辞世である。墓は現在、山口県の功山寺裏手にわびしく残り、そばに介錯後、自決した杉重光、また陶晴賢《すえはるかた》の子、鶴寿丸の墓も並んでいる。

塀《へい》をまがった時、石が飛んできた。修道士アルメイダは反射的に手で顔を覆《おお》ったので、石はその手に鋭い痛みを与えた。

「南蛮の仏敵め」

塀のかげから男の怒鳴り声がきこえた。

「消えうせろ」

強い陽《ひ》ざしが塀の影を黒々と道に落していた。アルメイダは痛みの残った右手を押えながら眼を伏せて歩いた。

怒りが胸を焦《こ》がした。ポルトガル人の彼は外見こそ温和だったが、底には激情をかくしていた。

その激情がなければ、彼は富裕な商人としての家財産を捨てて、イエズス会の修道士になる筈《はず》はなかった。

ポルトガル生れのアルメイダは医学を勉強した後、二十三歳の時、東印度で貿易商として資産を作った。

財をなし、生活では何ひとつ不足のない彼が生き方を根本から変えたのは、たまたま、リスボアから東印度に向う印度洋艦隊の船中で三人の神父と二人の修道士と起居を共にしたからである。神父や修道士たちはフランシスコ・ザビエルを師と仰ぎ、師と共に印度で布教をする筈になっていた。

この人たちの烈《はげ》しい信仰はまだ若いアルメイダに新鮮な驚きを与えた。それは本国ポルトガルの豪華な聖堂のなかで言葉だけで神の道を説く司教や司祭たちとまったく次元の違った生きかただった。

「我々は主の騎士のつもりです。騎士である限り、主人のためには死を怖れずいかなる犠牲もしのび、いかに遠い地にも赴くでしょう。私たちも同じなのです」

海風をまともに額に受ける甲板で、アルメイダの質問に神父たちは笑いながら答えた。

「ではゴアよりもっと遠い地に赴かれるのですか」

「はい、やがては」

「失礼ながら、どこへ」

「おそらくジパングと申す国に。私たちの師ザビエルは既にその国で布教を行おうとしておられますから」

ジパングという島の名はアルメイダも耳にしていた。印度洋よりも更に東の果。黄金の国とよばれる島。その国の人々は産出する黄金のおかげで豊かな生活を営み、心も愛情に富んでいる。そんな話を誰かがリスボアでしてくれた。

ゴアに到着し、ここで上陸する神父たちと別れたあとも、彼等との共同生活はアルメイダの心に消しがたい痕跡《こんせき》を残した。

（あのような、生きかたがある。あのような生きかたに彼等を向わせた力は何だろう）

疑問は次から次へとこの青年の頭に去来した。印度洋の海がないだ時、船は島影ひとつ見えぬ海の上で一点となって停止する。強い陽ざしのなかに帆をまいた帆柱の音だけが一日中にぶく、単調に鳴り、船内も船外も死の沈黙に包まれる。アルメイダはそんな時、生きることの空《むな》しさを突然感じ、言いようのない不安にかられることがあった。彼はそのたびごとにあの神父たちの生きかたに思いをはせた。

一五五二年、アルメイダははじめて日本の平戸に入港した。黄金の島というイメージとは似ても似つかぬ狭く貧しくみじめな港町。わずかに贅沢《ぜいたく》なのは領主とその一族たちだけで彼等もたえず隣国と戦っていた。その戦火のなかで、多くの人々は家畜小屋のような小屋に住み、粗末きわまる食物を口にして生きていた。

アルメイダは平戸から山口に赴いた。山口にはフランシスコ・ザビエルがまだいると耳にしたからである。船中で出会った神父たちが師と仰いでいるザビエルを一眼でも見たかった。

だが山口につくとザビエルはその前年、日本人の留学生をつれて既に日本を去っていた。

そしてその代り、トルレスと呼ぶ神父が日本布教長として山口の小さな寺を改造した教会で布教を続けていた。

「この国では戦がまるで毎日の出来事のように行われている。多くの人は見棄てられ、子供たちは病み、可哀想《かわいそう》に母親はわが子に与える食べものさえ見つけられぬ。彼等は愛に飢えているのにその愛をこの国の宗教は与えはしない」

トルレス神父から話をきくうちに、今度もアルメイダの烈しい激情は次の言葉を彼に言わせた。

「神父さま、私はリスボアで医学を修めた男です。この国で病院を作りたい。私もあなたたちと共に働かせてください」


石で傷ついた手。主もまた群集から石を投げつけられエルサレムの石畳をよろめきながら歩いた。「イエスを真似《まね》よ」とイエズス会創設者の一人、ザビエルの親友ロヨラが言った。その言葉をふと思い出しながら彼は上野ヶ丘の病院に戻った。

病院といっても板ぶきの二棟の家で、既に午後の治療を受けるため、外にはあまたの日本人たちがうずくまり、日蔭《ひかげ》のなかで木乃伊《ミイラ》のように身を横たえていた。

病院が建ったのは弘治二年。アルメイダが日本に永住する決心をした翌年である。彼の希望を入れて上司のビレラ神父と日本語の巧みなフェルナンデス修道士が宗麟に病院設立の請願を出した。

許しを得ると彼等は自分たちの教会の隣りの土地を手に入れ、そこには新教会を作り、古い教会を改築して病院とした。要した費用は宗麟の援助金と貿易商だったアルメイダが支出した。

さいわいなことにこの病院の模様をガゴ神父が書簡のなかに記述している。

「病院は両側に八室を持ち、十六人まで収容でき、各室にはそれぞれ戸があります。病院に接して看護人たちの住居が建っています。家屋の周りには縁側があって病人はここに出て治療を受けるのです」

アルメイダは大鉢《おおばち》をかかえて縁側からおりてきた日本人の年寄りに会釈《えしやく》した。老人は内田武左衛門（洗礼名トメ）といい、山口で最初に洗礼を受けた侍の一人だった。彼は大内義長が自決したあと府内に脱《のが》れ、アルメイダたちの病院の薬局で働くようになった。

武左衛門はアルメイダの手に注目し、

「如何《いかが》なされた」

と訝《いぶか》しげな声を出した。

「石」

とアルメイダは短く答え、苦笑した。

石、と言うだけでこの府内で働く宣教師も信徒もすぐ何かわかった。それほど彼等に投石する日本人は多かった。切支丹の教えはいまだ憎まれ、軽蔑《けいべつ》されていた。

「薬を塗られませ」

「そう致しましょう」

アルメイダは陽ざしのなかで治療を待っているあまたの日本人に視線をむけ、

「あの方たちの手当がすみました後に」

毎日のことだが病人たちのなかには武士の姿は見当らなかった。ここに来るのは沖の浜に住う漁師や近隣の貧しい農夫たちだった。彼等は武士たちのように高い治療費をとる医師たちにはかかれない。だから無料で病んだ困窮者の世話をする切支丹病院の噂《うわさ》をきいて早朝から押しかけてくる。

アルメイダは日本人の助手、古木謙助と診療を開始した。謙助は二十四歳、今年誓願をたててイエズス会修道士となったばかりである。

最初の患者は野良着《のらぎ》を着た老婆《ろうば》で彼女は草かりの鎌《かま》で手に深い傷を作った。

「痛いか。痛いか」

アルメイダは自分が痛そうな表情をつくって老婆に問診をした。

「へえ」

恐縮して老婆は頭を何度もさげた。アルメイダは傷口から黴菌《ばいきん》が入っていないかを調べた。

「ここは」

古木謙助は彼女の腕のつけ根にぐりぐりができていないのをたしかめ、首をふった。

「よかった」

淋巴腺《リンパせん》が脹《は》れていれば厄介《やっかい》である。これならば焼酎《しょうちゅう》で傷口を洗い、玉子の白身に椰子《やし》油を少々加えた軟膏《なんこう》をつけ、木綿で縛ればよい。

アルメイダの指示をうけると謙助や他の日本人の看護人が縁側で老婆の手当をする。すべてがリレー式になっていた。

次は母親と子供。この子は腫物《はれもの》を患《わずら》っている。放《ほ》っておいたらしく患部ははれて熱を持っていた。

(これは……切らねばならぬ)

とアルメイダは患部を見た時から思った。彼はリスボアでむしろ外科技術を習得していたので、これぐらいの処置には自信があった。

謙助が焼酎で消毒した。子供が怯《おび》えぬように眼かくしをして、口に布をかませた。

「ほんの少しの辛抱じゃ」

と彼は子供をうしろから抱き、その手を押えて耳もとで励ました。

メスで切ると子供は鋭い叫びをあげた。しかし膿《うみ》の出る口を作り、そこから血膿が流れるとあとは簡単だった。さっきと同じようにあたためた焼酎で傷口を洗い、椰子油をぬる。

すべての処置がすむと、

「ほどなく良くなろう」

とアルメイダは、蒼白《そうはく》になっている子供の母親を安心させた。母親は礼のかわりに彼女の畠《はたけ》でとれた野菜をおずおず謙助にわたした。

「気持はうれしいが……」

と謙助は彼女に、

「ここでは、いっさい礼は無用じゃぞ」


もちろん治療のすべてが効果があるわけではない。

当時の西洋医学は今のそれに比べると原始的なもので、内科では瀉血《しやけつ》や下剤が主体だった。これは時には弱りきっている患者をますます衰弱させることもあった。

こういう哀《かな》しい出来事もある。

その頃の豊後《ぶんご》では——豊後以外の日本の貧しい地方でも同じだったが——家族全員が生きのびるため生れた赤子を捨てたり殺すことがあった。すべては貧しさのためである。

その話を耳にした時、アルメイダの心は痛んだ。彼は一時は棄子たちを育てる育児院も計画したほどで、府内の貧しい者のなかには教会の前に赤ん坊をそっと置いていく母親もいた。

そんな赤ん坊の大半は栄養失調になっていたし、時には大雪の日に一夜を凍えたまま放っておかれたため感冒にかかっている乳幼児もいた。抗生物質のない時代だからアルメイダや謙助の懸命な看病にかかわらず、赤ん坊は彼等の腕のなかで次第に動かなくなり、息が絶えていった。そんな時ほど基督《キリスト》教信者の二人にとって、

(主よ。かほど罪のない者になにゆえ苦患《くげん》をお与えになる)

という泣声にも似た訴えが口から洩《も》れる時はなかった。医学を修めたとはいえ、長い間、商人だったアルメイダの医療知識には限界があった。

「南蛮僧たちが邪宗を用い、治療を行うておると聞きましたが……」

と宗麟の正室、矢乃《やの》は山田隆実にたずねた。

隆実は豊前《ぶぜん》の古い豪族山田隆種の子だが、父と共に強い仏教信者で府内の万寿寺にもたびたび寄進を行っており、宗麟の切支丹《キリシタン》容認の政策に不満を抱く家臣の一人だった。

矢乃は山田親子のそんな心情を知っていたから、わざと彼を呼びよせ、南蛮僧の医療活動に話を持っていき、

「無智《むち》な者たちを誑《たぶら》かしているのでありましょう」

「あの者たちは邪教を広めるためには、手だてを選びませぬ。かの者たちの教えを奉ずれば病も治り、果報も得られるなど嘘出鱈目《うそでたらめ》を並べたてていると聞きます」

「殿の御威光にもかかわること」

矢乃は大きな眼《め》を見開いて山田隆実を見つめた。こういう時彼女の眼は巫女《みこ》のように光った。

「殿はお人が良いゆえかの南蛮人たちに騙《だま》されておられる。殿のおためにも隆実殿は手をうってくださらぬか」

矢乃はこの若者の功名心をあおった。

「もし隆実殿が南蛮僧たちに病人の治療をやめさせてくれれば、恩にきます」

正室である矢乃にそこまで言われれば、山田隆実は嫌《いや》とは言えない。

大友屋敷を出ると彼はその足で万寿寺の日誓和尚《おしょう》をたずねた。和尚は隆実と同じように府内に侵入してきた異国の邪宗に好意は持っておらず、

「かの切支丹の教えは悪《あ》しきものと思わぬが、ただこの日本には根をおろさぬ」

と彼はかねがね周りにそう意見をのべていた。

「切支丹の僧たちは神はひとつと言いたてて、おのれが神のほかは何ものをも崇《あが》めてはならぬと門徒に強《し》いる由《よし》。かかる狭量な宗門は祖先を崇め、山川草木ことごとくの命を尊ぶこの国には向かぬものじゃ。一時は物好きな衆たちを集めようが、やがてはその不自然ゆえに霧

のごとく消え散じるであろう」

弟子の一人が、

「切支丹は不自然にござりますか」

とたずねると、

「さよう、切支丹は不自然ゆえに邪宗である。われら仏教も神道もこの国では自然の命を尊しとすればこそ根づきも致し、育ったのである」

と答えたという。

「隆実殿よ」

と和尚は山田隆実の話を聞き終ると大きくうなずいて、

「御言葉の儀尤《もっと》もではあるが、いつも申しあげる通り、かの宗門、放っておきましても、いずれは萎《な》え、凋《しぼ》みましょう。放っておかれよ」

「そうは参らぬ」と山田隆実は困惑して「奥方さまはいたく切支丹をお憎みゆえ」

「ならば奥方さまが男たちを送り、南蛮人たちの住居を毀《こぼ》たせればよかろう」

「いやいや、奥方さまは手荒な手は避けたいと申されました。なにしろお家形《やかた》さまが南蛮僧たちにはひそかに肩入れをされております」

「奥方さまの仰《おお》せの通りじゃ。門徒衆にも血気にはやり南蛮寺に火をかけようと致した者もござるが、その話に殿はお怒りだったと聞いております」

和尚の言う通り、府内の仏教徒の一人で真夜中、ひそかに藁《わら》に火をつけ、病院と教会とを焼こうとした男がいた。しかしこれはすぐ発見されて大事に到《いた》らなかった。

「いい智慧《ちえ》はございませぬか」

「和田強善と申す名、耳にされたことがおありか」

「いや」

「もと多武峰《とうのみね》の僧なれど、医術、薬草に詳しく、都でも評判の医師《くすし》にござるが、ただ今、毛利家の招きにて山口の興隆寺にしばし滞在しておると聞いております」

興隆寺の名は山田隆実も耳にしたことがある。山口の大内家の氏寺だったからである。

「その和田強善を府内に招き、南蛮人たちも到底見はなす病をみごとに治させ、評判をひろめるのでござる。そして切支丹の力のなさを衆人に示す策は如何《いかが》でござろうか」

「競わすのでござるか」

「さよう」

日晳和尚は太い膝《ひざ》をなでながら高い声で笑ってみせた。山田隆実も思わず笑みを洩らし、

「上策。上策にござるな。いや、忝《かたじけな》い」

と片手で和尚を拝む恰好《かっこう》をした。

和田強善が山口に来たのは元就《もとなり》の孫が疫病《えきびょう》にかかったからである。後に、毛利輝元《てるもと》となったこの孫を元就は溺愛《できあい》して、わざわざ京都でも評判の強善を治療によんだのだった。

山田隆実は矢乃と相談の上、山口に使を走らせた。

強善は国東《くにさき》半島から府内に現われた。彼が即座に乞《こ》いを入れたのは府内で南蛮人たちが病院を作り、日本人患者たちの治療に当っているという話を山口で聞いていたからである。医師だけに強善は是非とも自分の眼で南蛮人たちの治療法を見たいと思った。どんな薬を使うか、どんな手当を行うか、他人にきくより一見するにしくはない。彼が山田隆実の招きに応じたのはそのためでもある。

アルメイダの病院では一日、二回、診察を行う。南蛮人たちが無料で治療してくれるという噂をきいた病人たちは府内だけではなく、豊後の各地からも集まってくる。なかには戸板に老いた父や母をのせて息子たちが運んでくることもあった。

強善は見物人を装って病院の縁側で行われているアルメイダたちの処置を観察していた。

と、

「どこぞお悪いのか」

と一人の老人が背後から声をかけた。ここで薬の調合に当っている内田武左衛門だった。

「いやいや、珍しき手当のなされようと思うてな」

と強善は好奇心のこもった眼を縁側の方に向けて答えた。

「ほう、そなたは医術に心得あるお方か」

「いささか」

「ほう、ならば近寄られ、ゆっくり検分されよ。切支丹のパードレは病人の血を吸うたり、胆《きも》をぬくなどと、あらぬ噂をふりまく仏僧たちもおられるゆえ」

強善が仏僧に似た衣をまとっているので、内田武左衛門の口から皮肉が出た。

強善はアルメイダが野良着を着た男の足の創傷に暖めた焼酎をかけ、油薬らしいものを塗った木綿の包帯で巻いているので、

(何の薬であろう)

と考えた。更に好奇の眼で縁側の敷布に丁寧に助手たちが並べた道具を見た。それは針や鋏《はさみ》や鎌状《かまじょう》になったメスや牛や水牛の角でつくったへらなどだった。

「この御方も医師《くすし》だそうな」

足りなくなった油薬を鉢《はち》に入れて運んできた内田武左衛門はアルメイダや古木謙助にいささか侮蔑《ぶべつ》したような眼を強善にむけて紹介した。

「御邪魔致す」

と強善はわざと謙虚に腰をかがめ、

「率爾《そつじ》ながら、その塗薬は何でござるか」

「椰子《やし》と申す南方の樹《き》の実より採った油にござります」

と古木謙助は得意気に教えた。

「ほう」

強善はその油薬の臭《にお》いをかがせてもらった。次の患者は子供で、つきそった老婆がくどくどと孫は夜になると息が苦しくなり、今にも死にそうに喘《あえ》ぐのだと謙助に説明した。

アルメイダは子供の胸に耳をあててその呼吸を聞いたり、助手の一人に尿をとらせてそれを調べていたが、結局、静脈を切って瀉血をすることを命じた。

謙助が小刀を手にすると子供が恐怖を感じ声をあげて泣きはじめた。

「切らずともよかろう」

と強善は大声で制した。庭に辛抱づよく待っていた患者たちがいっせいに視線をこちらに向けたので、彼はもっと大きな声を出した。

「ここは拙僧に脈をみせて頂けぬか」

訝《いぶか》しげな顔をしたアルメイダは古木謙助から説明をきくと、怒るどころか、むしろ嬉《うれ》しそうに、

「お願い申します」

と子供を強善に渡した。

皆が注目している、と強善は感じた。重々しく威厳をもって診察せねばならぬ。子供の細い手をとり脈を調べ、

(虚証の水毒か)

この子は体内に水の多い虚証と判断した。

京都でもこういう子供の病人は多い。後に「諸病源候論」に咳嗽《がいそう》上気と書かれ「証治要訣」に哮喘《こうぜん》と記されたのがこの症状である。

(小青竜湯《しょうせいりゅうとう》か、もとより麻黄《まおう》も使わねばならぬ)

彼は素早くこの病気に適応した薬を考えた。もし子供に咳《せき》が烈《はげ》しいようなら麻杏甘石湯《まきょうかんせきとう》や半夏厚朴湯《はんげこうぼくとう》を用いよう。

「ま、死には致さぬ」

この時の強善の声はさきほどの謙虚なそれと違って、傲然《ごうぜん》としていた。

「日は多少かかるがこの童《わらべ》の咳ぴたととめて進ぜる」

病院の庭に腰をおろしたり樹にもたれていた病人や家族は、はじかれたように顔をあげた。

アルメイダや謙助までが驚愕《きょうがく》した眼で強善を見つめた。

強善が手を叩《たた》くと薬箱を手にした男が遠くから駆けてきた。

「よいか」

と彼はゆっくりと威厳をもって半夏、甘草《かんぞう》、桂皮《けいひ》、五味子《ごみし》などの生薬を木匙《きさじ》ですくい鉢に入れて謙助に命じた。

「これをよう煎《せん》じてな。煎じかたは御存知か。ならば結構。一日に三度飲めばよい。今夜あたり随分と痰《たん》もでてこようが」

そしてアルメイダにむかい、

「我らが国にも我らなりの手当の仕方がござるよ。どちらが効くか、競うてみるも一興ではないか」

と誇らしげに笑ってみせた。

悠々《ゆうゆう》と立ち去っていく強善のうしろ姿を見送りながら謙助は口惜《くや》しそうに、

「かかる木の根や枯葉のごときものがアルメイダさまの手当より効力ありとも思えませぬ。子供は早速にも瀉血を致してみましょう」

この時代の西洋医学治療法は主として静脈を切って血をとる瀉血や下剤を使って体内の毒を出すのが主流だった。呼吸器病も消化器病もそれによって体内の毒を体外に出せると信じられていた。

アルメイダも迷った。正直いってリスボアで外科療法によって創傷や腫物《はれもの》を治療することは得意としたが、彼は内科的な疾患は不得手だった。

それだけに今の日本人医師の自信にみちた声と態度には彼はたじろいだ。しかし西洋人である彼は古木謙助の言うように樹皮や木の根が薬になるとはなかなかに信じられなかった。

子供はその日から入院させた。病院では十六人の病人を収容できた。

だがこの子の喘息《ぜんそく》に当時の西洋医学の瀉血は効果がなかった。真夜中、子供は笛のような音を咽喉《のど》からたてながら喘ぎ、苦しんだ。

アルメイダはやむをえず薬局の内田武左衛門に和田強善の調合した木の皮や根を煎じさせた。漢方特有の臭気が土瓶《どびん》から洩《も》れ、小さな薬局をみたし、

「あわれながら」

と内田武左衛門は溜息《ためいき》をついて、

「あの子は……長うは生きられまい」

その間、アルメイダは子供の背をさすり、祈っていた。主よ、この罪なき子供に苦しみをお与えになさいますな、と。

薬湯を飲んで一時間、子供は急に咳こみはじめた。強善の言ったようにおびただしい痰が次から次へと出た。

夜が白みはじめると、早起きの和田強善は、自分の調合した薬の効力を見るために弟子を連れて南蛮人の病院に出かけた。まだ朝早いので府内の路《みち》には人影がない。

だがアルメイダの病院近くまでくると、二人、三人と患者や患者に附添う縁者たちの姿が既に列を作って歩いていた。

いずれの者も貧しげでみじめな風態だった。ここでは治療費も払えぬ者たちを無料で診て

いることを強善は山田隆実から聞いて知っていた。

「そのようにして人集めを致し、切支丹《キリシタン》に誘いこむのでござる」

と隆実は憎々しげに語り、強善もそうだと思った。

庭に集った病人のためにこの病院で働く日本人の若者が二人、粟粥《あわがゆ》と湯とをふるまっている。粟粥は食べものもない病人たちに与えられるのだった。

強善はその光景をしばらく立ったままじっと見ていた。

彼の姿を病院の入口からあらわれた謙助がみつけ、

「これは……昨日の……」

と駆けてきた。

「忝《かたじけな》い、お蔭《かげ》さまをもちまして、あの童、快方に向うております」

「さもあろうが……」

と強善は自信ありげに、

「切支丹の御僧のように手荒なことを致すまでもない。ただあの病はしばらくは根治いたさぬ。大人になれば見違えるように丈夫になる者も多くござる。ひとつ見てよいか、あの童を」

「なにとぞ御覧《ごろう》じくださりませ」

謙助は恭《うやうや》しくと言ったほうがよいほど、腰を低くして強善を病棟に案内した。

病院といっても今の概念とはちがって板ぶきの二つの小屋にすぎぬ。謙助のあとから強善は病室のなかを覗《のぞ》きこんだ。

朝の光が窓から斜めに入り、光のなかでアルメイダが背をこちらに向けていた。子供をだきかかえ、しきりにその口に自分の唇《くちびる》をあてて何かを吸いこみ、木の盆のなかに吐き出している。

強善はこの光景を見た。南蛮人は人の血を飲むと耳にしたことがあるが、まさか、アルメイダはそんな怖《おそろ》しい行為をやっているのではあるまい。

子供が咳こんだ。ふたたびアルメイダはその口に唇をあて、中のものを吸い込み、盆に吐きだす。

「何を……しておられる」

強善はまさか、と思いながら考えもできぬ行為に声を震わせた。

「アルメイダさまは」

と謙助はさりげなく答えた。

「童の咽喉に痰がからんでおりますゆえ吸いとっておられます。痰がなかなか、切れませぬ」

「痰を……」

強善は言うべき言葉もなかった。

「あの異国のお方、おのれの口で童の痰を吸いとられるのか」

「さようでございます」

強善の驚いた叫びにアルメイダはこちらを向いた。彼の顔に喜色があふれ、頭を何度もさげながら、

「忝うございます、忝うございます」

と叫んだ。謙助も同じように礼を言いながら、

「すべて、あの薬湯のおかげにござる。なにとぞあの薬のことをお教えくだされ」

「おお」

と強善は大声をあげた。

「お教え致すとも、お教え致すとも。それにこの和田強善をここでしばし働かせて頂けぬか。悦《よろこ》んで知れる限りの薬草のことをお伝えしたい」


天文二十三年（一五五四年）八月、宗麟は豊後《ぶんご》と肥後の守護職のみならず、肥前守護職にも任じられた。長年、勝光寺慈心のような将軍側近の僧に工作を続けたおかげである。もちろん慈心を通して、彼は将軍、幕府の要人に太刀、馬、銭等、多額の金品を贈ることを怠らなかった。成果がみのったのだ。

永禄《えいろく》元年、正室の矢乃《やの》が長男を生んだ。後の義統《よしむね》である。

永禄二年六月になると更に幕府は豊前《ぶぜん》、筑前《ちくぜん》、筑後の三ヶ国守護職を、同じ年の十一月、九州探題職という九州全体を統轄《とうかつ》する役職名を与えた。

都における将軍の勢力衰えたとはいえ、このような官職に任じられることは地方豪族にとっては大いなる栄誉だった。

「この儀を耳に致して、山口の元就《もとなり》は歯ぎしり致して口惜しがっておりましょうな」

と側近の一人戸次鑑連《べっきあきつら》が不自由な膝《ひざ》をさすりながら嬉しそうに言った。鑑連はこの年、四十五歳。三十歳になった宗麟より十五歳も年上である。この頃《ころ》から彼は足を悪くして、後に不自由な体になったが性は剛毅《ごうき》、宗麟のたのみとした武将の一人だった。

宗麟は何も答えず、口もとに微笑をうかべた。そのかすかな微笑の蔭《かげ》にあるものを見ぬいたのは臼杵鑑速《うすきあきすみ》だった。

(結局、元就に勝たれたな、殿は)

弟の大内義長《よしなが》が死んだあと、老獪《ろうかい》な元就は直接には九州を侵略してはこない。しかし、しきりと豊前、筑前の小豪族たちを煽動《せんどう》して宗麟に背くような姿勢を取らせている。その蔭の煽動は陰湿をきわめ、執拗《しつよう》につづけられながら、元就は表むきには宗麟に親愛の顔をむけている。長男・義統が生れた時もわざわざ祝賀の使者をさし向けたくらいだ。

だが、そうすべては甘くは事が運ばない。宗麟は心の底であの老人を侮蔑《ぶべつ》している。老人はただ小競合《こぜりあ》いの戦に馴《な》れた地侍にすぎぬ。本当の武将とは戦わずとも近隣を圧し制する大才覚を持つ者を言うのだ。

自分は九州をすべて治める九州探題である。だが毛利元就は朝廷や将軍から許された称号はひとつもない(実際、元就はこの翌年に正親町《おおぎまち》天皇御即位の費用を献納してやっと陸奥守《むつのかみ》に任ぜられるにすぎない)。自分とはその地位においては比較にならぬ存在なのだ。

家形《やかた》となった頃のあのおどおどした不安は今の宗麟にはなかった。父の義鑑《よしあき》にたいするコンプレックスも次第に消滅した。宗麟は得意だった。

宗麟がこうして名目的にも世俗世界のなかで出世しつづけていく間、府内の病院ではアルメイダたちが黙々と貧しい者や病む人々の命を救おうと懸命に働いていた。アルメイダの下には内田武左衛門、古木謙助、そのほか何人かの日本人の看護人たちがいた。

病人から金をとらぬかわり、アルメイダは彼のかつての貯金を生糸《きいと》貿易に投資してその利益すべてを病院の費用にあてた。

和田強善が医師団に加わったことはアルメイダにも病院にも大きな助けとなった。強善の持つ該博《がいはく》な漢方医学の智識《ちしき》によって病院の内科治療は一段と成績をあげたからである。

強善もアルメイダと親しくなるにつれ、この温和《おとな》しい修道士がむかし貿易商人として東印度で働き、財をなした男と知って驚いた。

「世をはかなまれたからか」

と強善はきわめて日本人的な質問をした。なぜなら日本の宗教者の多くはこの世を「はかないもの」「移ろいやすいもの」と見て現世を棄《す》てて宗門に入るからである。

アルメイダは苦笑して首をふった。そして彼は印度洋の船上で東洋に布教に赴くザビエルの弟子たちと出会った話をした。

「この神父《パードレ》たちは、こう申しました。我らはこの世界にあって、人々に仕えるために生きるのだ、と」

「人々に仕える？　人々とはどなたのことか」

「人々はこの病院に毎日、参ります。あの方たちは体も苦しく、心も苦しんでおります。その人たちに仕えるのがわれら神父《パードレ》や修道士《イルマン》にございます」

強善は沈黙した。彼はかつて僧侶《そうりょ》だったが彼の修行した多武峰《とうのみね》の高僧たちは一度もこのような考え方を語らなかった。アルメイダの言葉は強善に衝撃を与えた。

宗麟が九州探題をえた年、強善は洗礼を受けた。洗礼名はポウロ。フロイスは書いている。

「学識あり、かつ第一級の医者だった」

宗麟の考えに加判衆、同紋衆に異議を唱える者はなかった。

ただ相手が毛利となると土豪相手の城攻め、砦《とりで》攻めだけではすまない。何しろ敵は百戦錬《れん》磨《ま》の元就である。

外交は得手だが、実際の直接戦闘には正直いって宗麟自身はそれほど自信がない。宗麟は陣頭で指揮するのをやめ、そのかわり、豊前方面担当で、最も信頼する臼杵鑑速と吉岡長増《ながます》との二人を総大将にした。

しかもこれに有力武将、戸次鑑連、田北鑑生《あきなり》、吉弘鑑理《よしひろあきなお》など加判衆、同紋衆の有力者、そして妻、矢乃の兄にもあたる田原親賢《たわらちかかた》と田原親宏にも動員を命じた。文字通り、総力あげての討伐戦である。兵力については諸資料によってまちまちのため定かではないが、これだけの重臣たちがそれぞれに師団長になったからには一万以上の数だったにちがいない。

しかもこの出陣には鉄砲部隊も加わっている。当時、地方の軍隊では鉄砲はまだそれほど普及していなかった。それほど宗麟はこの戦で毛利に大友軍団の力を徹底的に示したかったのである。

反乱軍のたてこもる古処山《こしょざん》城、香春岳《かわらだけ》城などは大友大軍の前には敵ではなかった。城は包囲され、陥落は寸前だった。

「思うた通り、豊後の若旦那《わかだんな》がいらだち参った」

古処山城や春春岳城が絶望的だと聞いた時、元就は逆に悦びの笑みを鐵だらけの顔にうかべた。この頃、旦那という言葉は江戸時代のそれとやや意を異にして頭目、頭領のことを言った。たとえば清洲《きよす》の大旦那といえばそれは尾張《おわり》の地侍にとっては信長を指した。

「豊後勢はおそらく勢にのり門司《もじ》を攻めてくるであろう。それこそ思う壺《つぼ》ぞ。宗麟は水に弱い。充分に溺《おぼ》らせてやれ」

と彼は三男の小早川隆景《たかかげ》に命じた。

その通り、香春岳城を陥した大友軍団は小倉で一息を入れて永禄四年九月から門司城攻撃にかかった。門司は毛利が九州に進出する足がかりになる場所だからここは絶対に確保せよというのが宗麟の命令でもあった。

攻撃は二日間、二十五、六日と行われた。この戦の中心部隊は国東の田原親宏、田原親賢の水軍であり、陸からは臼杵鑑速、吉岡長増の軍勢が進撃した。

だが毛利側の隆景の水軍と国東《くにさき》水軍とは船数も戦術もちがう、国東水軍は終始劣勢でやがて海上権はじりじり毛利側に奪われていった。

一ヶ月後の十一月三日、焦燥のあまり大友軍団は総攻撃をしかけた。

これこそ毛利側の狙《ねら》うところだった。毛利勢は小早川水軍の船に乗って苅田《かんだ》（現在の福岡県苅田町）附近に上陸、その半ばは大友軍の背後を衝《つ》き、他の半ばは京都《みやこ》郡の黒田原や仲津郡の国分寺原《こくぶんじばる》にかくれた。

背後からの奇襲をうけて国東半島の兵を率いた田原軍も総大将、臼杵鑑速、吉岡長増の軍団も散々に破られた。

田原親宏は黒田原まで退却中、待ちかまえた毛利側の伏兵に包囲された。彼は死を覚悟したが、津崎、如法寺一族の支援をえて辛《かろ》うじて死地を脱した。


「臼杵鑑速はどうした。吉岡長増は如何《いかが》した」

府内大友屋敷で宗麟は大声で叫んだ。

屈辱が心を徹底的に傷つけた。「毛利狐《ぎつね》」の戦上手を嫌《いや》というほど思い知らされた。と同時に彼が家臣のなかでまだ信じることのできる臼杵鑑速と吉岡長増、戸次鑑連を失うことの恐怖が顔をゆがめた。

早馬が次々と入ってくる。すべて大友勢ことごとく散りぢりとなって敗走という急報である。蒼白《そうはく》になった宗麟にとり、まだしもの救いは臼杵も吉岡も日田、玖珠《くす》、速見郡の兵をまとめて辛うじて日田に退却できたことである。

「兄と田原親宏殿は如何なりました」

平生はあれほど気の強い正室の矢乃までが姿をみせて、かすれ声でたずねた。

彼女にとっても実家奈多《なだ》氏と縁つづきの田原氏が大友家中で力を持てばこそ、正室としての発言力も保てる。それだけに田原親宏と親賢の生死は何よりも気がかりだった。狼狽《ろうばい》している妻の顔をみて宗麟はその時だけ、かすかな快感を感じた。この勝気な女が色を失っている。声まで震えている。

「まだ、何も知らせが来ぬ」

既に田原親賢の脱出は聞き及んでいたにかかわらず、宗麟は妻をちらっと見て知らぬ顔をした。

「国東衆は……必ず助かりましょう」

矢乃は口惜《くや》しげに言った。

「そうか」

宗麟はひややかに横を向いた。

「この敗軍、神罰と思《おぼ》しめせ」

矢乃は口惜しげに叫んだ。

「平生、殿が神仏を蔑《ないがし》ろになされた報《むくい》がかかる形となって現われました。謀反《むほん》の多くは豊前や筑前から起っております。かの地の侍たちは殿が宇佐八幡《はちまん》よりも南蛮邪宗を重んじられるゆえに反意を抱くのでございます」

言い捨てて去っていく彼女の背後から、あの侍女が宗麟に詫《わ》びるような眼《め》をむけた。哀願するようなその眼《まな》ざしで胸中にふき出た憤怒を宗麟はやっと抑えた。

だが矢乃の言葉は間違ってはいなかった。

吉岡長増、臼杵鑑速たち敗軍の一部が西の玖珠、由布を通って府内に戻ってきたが、それは激戦を経たというよりは無残に敗れた者たちの、みじめな姿だった。馬の背にくくられたり、板にのせられている血まみれの武者とそれに附きそう供の者。ある者は足を曳《ひ》きずり、ある者は同輩の肩をかり、いずれの顔にも綿のような疲労と、敗れたことの劣等感がにじみ出ていた。

夜になっても敗残兵の列は続いた。松明《たいまつ》の炎が府内に入る街道を遠くどこまでも続いている。

府内の者たちは路《みち》に立って惨敗《ざんぱい》をあきらかに物語るこの軍列を茫然《ぼうぜん》と見た。彼等は出陣の折の意気軒昂《けんこう》たる大友軍団の隊伍《たいご》を憶《おぼ》えているだけに、その同じ兵士たちがこのように落魄《らくはく》した風態で帰還してくるとは夢にも思っていなかった。

松明の炎が将兵の疲れきった顔を照らしている。表情には待ち伏せした毛利勢に包囲され、殲滅《せんめつ》されかかった時の恐怖がまだ残っている。

大友屋敷でも篝火《かがりび》をたき、辛うじて脱出してきた臼杵鑑速を迎えた。鑑速に続いて戸次鑑連も吉岡長増もよろめくように戻ってきた。

兵たちの負傷の手当は夜を徹して続けられた。切支丹《キリシタン》の病院からもアルメイダをはじめ修道士たちが治療のために駆けつけてきたが、

「邪宗の輩《やから》に手当などうけぬ」

と宗麟の耳にも聞えるように大声で叫ぶ侍があった。この男はこの敗戦の原因を矢乃と同じように宗麟が神仏を崇《あが》めなかったせいにしていた。

敗戦処理の評定は翌日、開かれた。二年前、九州探題職と六ヶ国の守護に任ぜられた誇りが今、宗麟の顔から失われ、加判衆や同紋衆の前にあらわれた時は家形となる前のように神経質でおどおどとしていた。

「手強《てごお》うございます、毛利は……」

と臼杵鑑速は口惜しそうに言った。誰もがこれに反駁《はんばく》せず、重苦しい沈黙が広間に拡《ひろ》がった。

「毛利があのまま追うて参れば、我ら如何なりましたか」

「毛利はなぜ追うて参らなかったのか」

と宗麟も声を震わせてたずねた。

「わかりませぬ」

元就がこの時、徹底的に九州北部に侵入しなかった原因は臼杵鑑速の言うように「わからない」。

おそらく――

元就は現在は休戦中の尼子氏がこの機会を利用して反撃してくるのを怖《おそ》れたのであろう。北と南との両面作戦は彼が最も避けたいものだった。今度の大友との戦は九州探題という官職を得て得意絶頂になっている豊後《ぶんご》の若旦那を「いたぶる」だけで充分だった。そして毛利の実力のほどを味わわせれば目的は達した。

「殿、こたびの敗軍、慮外にございまするが、これが更に豊前《ぶぜん》、筑前《ちくぜん》、肥後の地侍に大友家への侮《あなど》りを起させますれば、一大事となりますぞ」

と志賀親守が大声で発言した。この男は大友庶家のうち最も大きな一族に属し、その嫡子《ちゃくし》は宗麟の娘と結婚がきまっていた。

「殿」

と歯に衣《きぬ》きせず志賀親守は迫った。

「この敗軍のわけ、如何《いか》ようにお考えになる」

「……」

「畏《おそ》れながらひとつは大友の水軍が毛利のそれに比べ弱体なりしため。毛利水軍は小早川隆景を将として乃美《のみ》兵部丞、小嶋、来島《くるしま》などの戦馴れたる船衆を集めております。田原殿の率いる国東衆などではとても歯がたちますまい」

軽いどよめきが座の隅《すみ》から起った。宗麟は志賀親守が国東の田原一族を好まぬことを知っていた。

「何と申される」

座の真中にいた田原親賢が立ちあがった。

「ただ今の志賀殿のお言葉は田原一党、国東武士を侮っての上でござるか。国東衆はこたびの戦で……」

「侮って申したのではない」

と志賀親守は田原親賢を手で制すると、

「毛利水軍と戦うためには大友水軍は相応の備えあるべしと言うておるのだ。兵船の数においても毛利に劣っていることは国東衆の総大将となられた田原殿がよく御存知ではないか」

親賢には返す言葉がなかった。宗麟は妻の兄であるこの親賢に昔から好意を持っていただけに、視線をそらせた。

「今ひとつ、この敗軍は……兵たちの士気にもございます。宇佐衆、速見衆、玖珠衆、日出《ひじ》衆の兵には神仏を崇める心の深き者が多いゆえ、殿が切支丹に帰依《きえ》されるという噂《うわさ》を耳にいたし、それを毛利につけこまれ申した」

志賀親守はかねてから宗麟の切支丹保護の姿勢に反感を持っていた。それだけにこの際、感情の激するあまり、日頃《ひごろ》の不満を一気に吐き出したのだった。

「毛利が？　如何ようにつけこんだか」

と宗麟はいぶかしげに訊《たず》ねた。この戦は切支丹宗門や南蛮人とは何の関係もない筈《はず》だった。

「毛利側はこたびの謀反は仏門の門徒である賀来《かく》、宗像《むなかた》の衆が南蛮宗をこの国より追い払うためであると百姓、兵たちに調略致して参りました」

「鑑速《あきすみ》、まことか、それは」

と宗麟は助けを求めるように、沈黙している臼杵《うすき》鑑速を注視した。

「ただ今の志賀殿の……」

と鑑速は言いにくそうに、

「申されました調略、たしかにございました」

宗麟はその時、矢乃《やの》が口にしたあの言葉を甦《よみがえ》らせた。

「この敗軍、神罰と思しめせ」

不安は胸に黒雲のように拡がった。もとより妻のいう神罰と敗戦とを結びつける気は宗麟にはないが、これほど彼の国政にたいする不満が六ヶ国の領内に拡がっているとは思っていなかった。

自尊心の強い宗麟は事が成就《じょうじゅ》すれば悦《よろこ》びも得意も大きいが、挫折《ざせつ》するとがくんと気も弱くなる。六ヶ国の大守や九州探題になった時の満足感がひとしおだっただけに、今度の敗戦は鉄棒のように彼をうちのめした。

書院で一人になると彼は神経質に唇《くちびる》を嚙《か》み、受けた屈辱と共に今後の対策を考えこんだ。

領内は彼が希望する安定に近づくどころか、毛利に敗れたことで、更に混乱するかもしれない。「毛利狐」は勢に乗じて今以上に筑前、豊前、肥後の不平分子を煽動《せんどう》してくるだろう、そしてそれらの地方豪族は宗麟の武力を軽視して次々と反乱を起すだろう。

（早う手を……打たねばならぬ。手を）

彼は父や叔父の大内義隆《よしたか》の運命を思った。弟の晴英《はるふさ》の最期《さいご》を考えた。反乱を制圧せねば彼等と同じように命を失うのだ。運命がいつ変るかは予想できない。

「毛利の怖《おそろ》しさ、九州探題殿とやらは思い知られたであろう」

小早川隆景の水軍がさんざんに大友軍を弄《もてあそ》んだ報を吉田で受けた元就《もとなり》は肉のおちた頬《ほお》を笑いでゆがめた。

しかし隆景の兄であり母方の実家の吉川《きっかわ》家を継いだ吉川元春がこの時、

「かかる上は豊前一国に兵を送り、存分に切り取りたく存じます」

と父の悦びに同調すると、

「ならぬ」

と大家長ともいうべきこの老人は強く首をふり、

「更に戦を仕かければ、次は勝敗、必ずしも明らかではない」

と言った。

「なぜでございます」

「豊後勢の心になってみよ、次の一戦ではあの者たちは必死になって戦うて参る。今頃、宗麟、おのが弱点を考えに考えているであろう」

元就はやはり人心を知っていた。宗麟はその言葉通り、必死になって自分の立場とその弱さを埋めようとしていた。

屈辱感を嚙みしめながら、しかし宗麟は志賀親守の歯に衣きせぬ発言を反芻《はんすう》した。

「ひとつは大友水軍が毛利水軍にくらべ、弱体なりしため」

親守の言う通りだった。

大友水軍は毛利水軍にくらべてどちらかと言うと攻撃型というよりは海上防衛的な性格を持ち、国東《くにさき》水軍、別府水軍、臼杵水軍、南海部水軍の四つにわかれる。そして今度の戦で毛利勢に敗戦を喫したのは国東水軍である。

国東水軍の主体はこの半島の東端を制する岐部《きべ》衆だが、この時、宗麟の心にふと浮かんだのは府内の南にある臼杵とこの臼杵湾に集結している若林、田口、深柄の水軍衆のことだった。

宗麟の心の奥には妻の実家、奈多氏と関係のある国東半島一の実力者、田原一族の勢力をこれ以上、強化させたくない気持があった。

彼自身は今度の敗戦の責任者ともいうべき田原親賢《ちかかた》にたいしては好意に似たものを持っていた。青年時代に能見物の折彼に懐《なつか》しげに声をかけてくれ、宇佐神宮の祭を案内してくれた親賢への思い出はまだ消えていない。

しかしそれと田原一族への対策とは別である。長い間、田原家はたびたび大友氏に反抗の姿勢をみせてきた。宗麟が矢乃との結婚を考えたのはその田原氏懐柔のためだった。

岐部水軍を強化することはその点、国東半島に力を持つ田原氏に戦力を与えることになる。のみならず、それは正室矢乃の我儘《わがまま》な性格を助長させる。二言《ふたこと》目には「田原一族が」という言葉を口にする妻。親賢にたいする好意と田原一族への遠慮がなければ、この強情で勝気な矢乃を彼は大友屋敷外に住まわせていたかもしれぬ。

（岐部水軍とていつ毛利側に走るやもしれぬ）

国東と周防《すおう》は海ひとつ隔てているだけに不安は宗麟の心に前からあった。だから心に臼杵とその周辺の若林水軍が思い浮かんだのは決して偶然ではない。

小島道裕《みちひろ》氏の綿密な若林文書の研究によれば若林家が大友家に従属したのは文書で確認できる限り十五世紀後半からだというから、昨今の家来ではない。大友家が宗麟の代になっても天文年間だけで三度も感状を与えられているのはこの一族に反逆の意志がなかったことを示している。

（この際、若林鎮興《しげおき》を水軍の総大将と致すのはどうか）

と宗麟は自問自答し、この考えを更に拡大した。

（そのために余は府内を離れ、臼杵に住むのも悪くはない。しかも臼杵は臼杵鑑速の本領である）

彼の最も信頼している鑑速の家は臼杵の江無田《えむた》にある水ヶ城を居城としてきた。若林水軍を育て、臼杵鑑速一族をそばにおくことは宗麟にとって決して損ではなかった。

だが問題はこれだけで片付いたわけではなかった。

志賀親守は敗軍の原因として宗麟の切支丹保護政策にふれた。宗麟が切支丹宗に帰依するという噂が領内に拡がっていると言った。

（南蛮僧たちが齎《もたら》すものは宗門の教えのみではあるまい。あの者たちを連れて参る大船との商いを盛んに致せばどれほどわが領内に利がもたらされるか）

宗麟はその考えが同紋衆たちの保守的な頭に理解されぬのが口惜《くや》しかった。同紋衆たちは彼のように大局を見る眼《め》がない。土地に執着する彼等は農村という知行地を確保することだけに汲々《きゅうきゅう》として、海の外やあたらしい富国強兵の方策に思いをはせないのだ。

宗麟の長所は土地を主体とした当時の戦国領主とちがい、外交や貿易にも大きな視野を持ったことだった。しかしそれが逆に彼の弱点ともなり、家臣の疑惑を招き、不満を起させた。

「愚か者が……」

宗麟は同紋衆たちと言うよりは、むしろ自分の逡巡《しゅんじゅん》する心にたいして自嘲《じちょう》の言葉を呟《つぶや》いた。

矛盾した彼の心は二つに割れている。ひとつは大守として六ヶ国をみごとに支配してみたいという権勢欲である。しかしその一方、彼には母ゆずりの何かを求めるものがあった。そしてその何かは彼の死の恐怖、たえざる家形《やかた》としての不安を超えたいという願いにも重なっていた。

まぶたの裏にはザビエルの孤独な姿が残っている。あの南蛮人の眼は蒼《あお》く澄んでいた。笑う時は現世の欲望にみちた同紋衆たちとちがった純粋でやさしい微笑がうかんだ。それ以上にひたすら彼等の教えを伝えに波濤《はとう》万里、日本にまで渡海してきた信念もあった。

ザビエルや南蛮僧たちの生きている世界――宗麟は心の隅の何処《どこ》かでそれが欲しいと思う。そのくせ彼は謀反人《むほんにん》服部右京亮《うきょうのすけ》の女をたびたび弄ぶ自分を知っている。それは裏切者にたいする復讐《ふくしゅう》というより、心の奥にある暗い、黒い衝動のためだった。

(余は一体、何者なのだ)

宗麟は時折――あの女を犯したあとやザビエルの孤高な姿をまぶたに浮かべる時、そう自問する。自分は一体、どういう人間なのか、と。

一方では浄《きよ》らかな世界への憬《あこが》れがある。そのくせ自分でも驚くような残忍な感情もひそんでいる。一方では母なるもののやさしさへの思慕を持っているのに、同じ女性でも矢乃のような女への嫌悪《けんお》と憎しみもまじっている。大守として権力を更に得たいという権勢欲望を抱きながら謀反や死への恐怖に絶えず脅《おびや》かされている。宗麟は一体、自分の心が何処にあるのか、複雑な別れ道の前に立った旅人のように見当がつかない。

宣教師トルレス神父が謁見《えっけん》を願い出てきた。家中の評判を気にした宗麟はしばらくの間、宣教師たちとの接触を避けるようにしていたが、小姓から、

「パードレ殿は府内を去るため、御挨拶《ごあいさつ》を言上《ごんじょう》致すべく参ったとしきりに申しておりますが……」

と聞くと、少し驚いて引見を許した。

「府内を離れるとはまことか」

「長き間、忝《かたじけの》うございました」

通辞のフェルナンデス修道士を伴ったトルレス神父は日本式に正座して丁寧に膝《ひざ》に手を重ねて頭をさげた。

「もはや府内には戻らぬつもりか、それで何処《いずこ》に参る」

「肥前にございます。肥前のお家形大村純忠《すみただ》さまはその御領内にてわれらが教えを説くことを許されました」

「この府内でも余は切支丹を広めることを禁じてはおらぬ」

「それは心より忝く存じます。されど我らは豊後だけでなく、日本の至る土地で主デウスのお教えを広めたいと願うております。さればは私は肥前に去りまするが、シルバとギリエルメとサンチェスの修道士たちは残しておきます」

曖昧《あいまい》な表現でトルレス神父は釈明をしたが、実は彼は肥前行きをかねてから準備していた。そのため医師の資格も持ち過去は貿易商人でもあったアルメイダ修道士をひそかに肥前大村に送り、そこにポルトガル船が入港するに適した入江を測量もさせていた。

もうひとつ、肥前領主、大村純忠の並々ならぬ勧誘があった。そんなわけで、トルレス神父も切支丹にたいする不満がくすぶっているこの豊後のほかに、布教の新天地を開拓したい気持に次第になっていた。

測量の結果アルメイダは大村から領内の横瀬浦こそ、府内の沖の浜にはるかに勝る港だと報告してきた。更に領主、大村純忠はこの横瀬浦を教会に寄付し、いつかポルトガル船が来航するならば十年間の免税を約束しているという。

これでトルレス神父の心は決った。何より彼を悦ばしたのは切支丹の布教を許しても、自分は入信に尻込《しりご》みをしている宗麟より、アルメイダの知らせによると大村純忠のほうが真剣に基督教《キリスト》の教義に関心と興味とを抱いていることだった。

「では、そこもとたちの船は向後、この沖の浜には参らぬのか」

と宗麟は非常に心配げにたずねた。

三年前の永禄《えいろく》元年にはポルトガル船が来航した。二年前の永禄二年も前年に引きつづいて同じ船が来航している。

昨年の永禄三年にはマヌエル・デ・メンドサを船長とするジャンク船が姿をあらわした。ザビエルの弟子であり、アルメイダの心を動かしたガゴ神父は日本布教の事情を印度管区長に報告するためにこの船で印度に戻っている。この折、宗麟はガゴ神父に託して金の蛇《へび》をまいた槍《やり》を印度総督とポルトガル国王とに贈った。その時の彼はポルトガルと豊後《ぶんご》との通商がますます盛んになることを望んでいた。

「いえ。さような事はございますまい」

とトルレスはうち消し、すぐに不安の感情を面《おもて》にむき出しにする宗麟を安心させようとしたが、心では布教の中心が九州東海岸から西の肥前に移れば、必然的にポルトガル船の府内来航も減るだろうと思った。

神父の心の動きを神経質な宗麟は敏感にかぎとり、

(南蛮僧が……わが豊後を見捨てるならば、余とてそれなりに手を打つ)

そう思った時、彼の意志をこえて言葉が出た。

「余も……尊師のごとく府内を去る所存である」

「府内をお去りになる。何処に参られます」

「臼杵《うすき》」

「臼杵でございますか」

「さよう。臼杵には尊師も訪れられたか。ならば岬にも似た島があるのを見たであろう。あの島に新しき城を作りたいと考えている」

「この府内をお見捨てになられるのでございますか」

「尊師も見捨てた府内ではないか。尊師が肥前にたち去れば折角芽の出かかった切支丹も次第に消滅して参ろう……肥前からのたっての奨《すす》めに尊師が応じたとあらば、是非もない」

宗麟の顔にはわざとらしい微笑があったが、言葉の背後には皮肉と刺《とげ》とがかくれていた。

あわててトルレス神父は、

「私はしばし府内を去りますが……しかし私にかわり新しき神父《パードレ》を豊後に送らせます」

「そう願いたいものよ」

と宗麟は皮肉の言葉を更に続けた。

「やはり神父《パードレ》とよばれるお方がおらねば、この余さえ切支丹にひかれる気持が薄れて参る」

「殿が……」

トルレス神父も皮肉で応酬をした。

「主の教えを南蛮の品々よりも好まれることを、われら常々、祈っております」

「忝きことよ。いつかはそうありたいものと余も望んでいる」

いつかはそうありたいものと余も望んでいる。

これは皮肉だけでなく彼のひそかな願望でないとは言えなかった。家形として、人間として、男として、日夜、宗麟を縛りつけている義務、責任、重荷、それに彼自身の力や富への執着、怯《おび》えや不安、そのすべてを放棄してザビエルのように人間をこえた世界に向って生きえたら、どんなに良いであろう。その願望は果されぬものと知りながらやはり宗麟の意識下にかくれていた。

トルレス神父を謁見してから一日もたたぬうちに宗麟が臼杵に移り住むと言ったことが正室矢乃の耳には伝わっていた。彼女は侍女を先にたてて宗麟のいる書院を訪れた。

「まことでございますか」

と訊《たず》ねられると宗麟は庭に眼をわざとそらせて、

「うむ」

とうなずいた。

「なんのためでござります」

「余は、隠居し、出家致したいと思うておる」

矢乃は驚愕《きょうがく》し、茫然《ぼうぜん》として夫を凝視した。

「出家……なされますのでござりますか」

「悪いか」

と宗麟ははじめて視線を妻に向けた。

「府内は長寿丸（義統《よしむね》）に与える所存である」

「長寿丸はまだ四歳」

「案ずるな、元服致すまでは余が後見を致す」

「出家と申されますと……仏門に帰依《きえ》されることでございますぞ」

「聞くまでもない」

矢乃の顔に久しぶりで見るあかるい笑いが浮かんだ。勝気な性格をあらわすその眼にも悦《よろこ》びの光が赫《かがや》いた。

「嬉《うれ》しゅう……承りました」

「嬉しいか」

「はい」

「余が出家致さば、そなたと同じように領国の仏門衆の家臣たちは胸なでおろすであろうな」

「仏門衆のみではございませぬ。宇佐八幡《はちまん》を奉じまする国東衆、豊前《ぶぜん》衆たちが如何《いか》ほど悦びまするか。よう御決心なされました」

「それほど切支丹が嫌《きら》いか」

と宗麟はまた視線をそらせて呟くようにたずねた。

「安心致すがよい。あの者たちの長《おさ》は府内を去って肥前に参る」

「それはそれは宜《よろ》しゅうござりました。これにて御領国は安泰になります」

この女は必ずしも悪性ではないのだと宗麟はふと思った。こちらに向けた矢乃の笑顔がむかしはじめて奈多《なだ》八幡宮で彼女の挨拶を受けた時と同じように倖《しあわ》せに赫いている。

宗麟の出家、臼杵に隠居の決心を耳にすると加判衆はじめ同紋衆などは、

（それほど御決心なされたか）

と感動し、戸次鑑連《べっきあきつら》のような重臣のうち、

「お家形がかほどの御心持ならば我ら倣《なら》わずにいらいでか」

と自分もまた剃髪《ていはつ》する気持を持った者、二十人がいたという。

敗軍の混乱と国内に拡《ひろ》がった不満を宗麟は思いきった対策で何とか切りぬけた。しかし切りぬけただけであって、根本的な解決を得たのでないことは宗麟自身が一番よく知っていた。

永禄五年七月、トルレス神父は七年間をそこで過した府内を去った。彼は二度とこの地に戻らなかった。改宗に煮えきらぬ宗麟よりも受洗の希望さえ洩《も》らしている肥前領主、大村純忠にこの神父は希望を託したのである。

アルメイダ修道士もこの一年前から、府内を離れ、西九州の各地を布教をかねて旅するこ

とが多くなった。というのは永禄三年、トルレス神父やアルメイダ修道士の属するイエズス会は会士の医学治療を禁止する規則を決めたからである。

「かの邪宗をお捨てになりましたからは」

と矢乃は夫を励まして言った。

「もはや、われらは毛利に敗れませぬ」

無《む》明《みょう》の闇《やみ》

サンチェス修道士よりトルレス神父宛《あて》の報告書（一五六三年）

あなたが府内を去られて肥前の横瀬浦に移られて以来、豊後《ぶんご》での布教は沈滞したと申さねばなりません。と言いますのはここでは信者たちがそれによって信仰を鼓舞してきたあなたのミサが絶えたからです。我々修道士《イルマン》も信者たちも一日も早く司祭のいない府内に訪日まもないジョアン・バプティスタ神父の派遣が実現されることを切願しております。

沈滞の別の原因は我々の庇護者《ひごしゃ》であった豊後国王（註、宗麟《そうりん》のこと）が府内を幼い嫡男《ちゃくなん》に与え、自分は臼杵《うすき》に移ったためでもあります。

臼杵移住はおそらく国王にとって敵の毛利から蒙《こうむ》った敗戦の恥辱や家臣たちの動揺を鎮《しず》めるためと思われます。

しかも彼は基督《キリスト》教嫌いの家臣に迎合するように突然、シュッケ（出家）してボンズ（仏僧）のごとく頭をそりました。そうすることでボンズや異教徒である彼の家来たちの人気を恢復《かいふく》しようとしたのです。

この行為がいかに人々を驚かせ、同情をひいたかは彼に倣って二十人の重要な家来が共に髪を切った、ということでもわかります。

尊師は前から豊後国王は肥前の大村殿（註、大村純忠《すみただ》のこと）とは切支丹《キリシタン》にたいする気持がちがうと申されておりましたが、やはり、その通りだったのです。大村殿が宣教師を領内に迎え、保護されたのは彼がわれらの教えに関心を持ち、真理を求めたからでありましょうが、豊後王はただポルトガルの船が豊後を富ませ豊かにするためにのみ我々を歓迎し、布教を認めたにすぎません。

ですから彼自身はいまだにポルトガル船が府内の沖にあらわれることを期待し、尊師がふたたび当地に戻ることを望んでいるようです。

正直に申しまして私には豊後の国王がパリサイ人のような気がしてなりません。彼は微笑して我々の教会を保護しますが、我々の教会が説く教えには本当の関心はないのです。

書きかけた尊師宛の手紙を忙しさのため中絶し、ふたたび筆をとります。

十日前、我々の期待していたジョアン・バプティスタ神父が懐《なつか》しいアルメイダ修道士と共に九日間の旅の後、府内に到着しました。我々残留修道士や日本人信者たちの心がどれほど悦びに充《み》ちたかは筆舌に尽しがたいほどです。

アルメイダ修道士は彼の設立した病院だけは相変らず盛んに続いているのを見て、大いに悦び、しかし他方いささか残念そうでした。もしここで病人の治療だけでなく然《しか》るべき布教体制さえ整っていたならば、たとえ国王が出家しようとも影響はないのに、と我々は語りあいました。

彼はバプティスタ神父の供をして大友屋敷に表敬訪問をした際、国王の長男である長寿丸さまの謁見《えっけん》をうけました。その折、七日後、我々の司祭館に国王と共に昼食にお出でくださるよう願い出ました。

申し出は臼杵の国王にすぐ伝えられ、快諾の返事をえました。

当日まで我々は日本人信徒に手伝ってもらい司祭館を美しく飾り、日本式料理のほかにポルトガル料理も用意しました。しかしそのほかに私たちはもっと国王父子を驚かす秘密を準備していたのです。

それはかねて音楽を習わせていた切支丹の日本人の子弟たちに食事中、ビオラを演奏させることでした。はじめて西洋の音楽をきく国王父子や重臣たちがどのような表情をするか、我々も見たかったのです。

当日、神は我々に素晴らしい秋晴れをくださいました。大分川の川原には銀色の薄《すすき》の穂が光り、空を無数の蜻蛉《とんぼ》が飛びかっていました。昨夜に大友屋敷に到着された豊後国王とその一行の行列は大分川を舟で我々司祭館の方向にくだってきました。岸にバプティスタ神父、アルメイダ修道士二人を真中にして私たちは一列に並び、国王父子を出迎えました。舟をおりた頭巾《ずきん》姿の国王は上機嫌《じょうきげん》で、そして重臣たちをふりかえり、

「この者たちが臼杵に移った余を今でもかくの如く《ごと》遇してくれることは嬉《うれ》しい」

と言葉をかけました。

司祭館に入るとはじめは重々しい顔をしていた国王の重臣たちも食卓につき、葡萄酒《ぶどうしゅ》を口にすると、ようやく顔をほころばせました。

私は国王が仏僧と同じようにすっかり坊主《ぼうず》頭になったことについてバプティスタ神父もアルメイダ修道士も気づかぬように話題にもしないのをもどかしく思いました。しかし彼等と同じように私たちも賓客《ひんきゃく》にたいする礼儀からその質問を抑えていました。

「お家形《やかた》さま」

と日本語のまだ良くできぬバプティスタ神父に代ってアルメイダ修道士が、

「今日はお家形さまと長寿丸さま、御重臣衆に西洋の音曲をお耳に入れたいと思います」

「西洋の音曲をか」

「さようでございます」

アルメイダが卓上の鈴をならすと、扉《とびら》が両側からさっと開かれました。白い修道衣をまとった三人の日本人の少年たちがビオラを持って恭《うやうや》しく一礼し、室内に入って来ました。

彼等は日本人同宿（神父や修道士の仕事を手伝う役）の子供たちで、もう一年前から我々によってビオラの練習をはじめ、それなりの腕前になっていたのです。

国王も重臣も好奇心の眼《め》で白衣姿の少年たちを凝視しました。少し退屈しかけていた六歳の若君、長寿丸さまも眼を丸くして彼等の動きを追っていました。

演奏が始まりました。「聖母のためのオラショ」や「タント・メルゴム」のような聖歌曲を少年たちは懸命に、ほとんど間違いなく奏《ひ》きました。

（これがこの国で貴人たちが最初に聴いた演奏会だろう）

その事実に気づいて私はいささか興奮しましたが、それよりも国王が深い感動にうたれていることは一眼みただけでわかったのです。幼い若君も食卓を離れて少年たちのそばにより、楽器にさわりたがりました。

少年たちが深々と頭をさげ退出したあとも国王はしばし黙って、今の音楽の余韻を味わいつづけているようでした。

「余はかほど妙《たえ》なる音色を耳に致したことはない」

と彼は口を開き、矢継早に質問をアルメイダ修道士にしました。その質問は実に適切で国王が日本の芸術に通じ、それと我々の音楽とを適切に比較する頭脳を持っていることを示していました。しかも異国の文物にこれほど好奇心を抱いた日本人を私は他に知りません。

（このお方は……）と私はひそかに思いました。（武器をとって敵と戦う武人というよりも、

むしろ学者か芸術家であるべきだった）

「それでかかる妙なる音色を尊師たちの国の言葉で何と申すか」

と国王は長寿丸さまの手をとりながらたずねました。

「ムジカと申します」

「ムジカ、ムジカ、ムジカ」

まるで口に入れた宝玉を舌で味わうかのように彼は何度も何度もくりかえし、

「美しき言葉よ」

と感嘆しました。アルメイダ修道士はすかさず、

「ただ今の音楽がもしお家形さまのお心を捉《とら》えたのでございますなら、それは調べのためだけではございませぬ。神を讃《たた》える歌だからでございます」

「さもあろう。その儀はただ今余も感じておった」

と国王は微笑してうなずきました。

「そこまでおわかり頂きましたことは大きな悦びでございますが……それならば」

とアルメイダ修道士は礼を失しないようにわざとおどけて、

「かほど御聡明《ごそうめい》なお家形さまが……われらの神より仏門をお選びなされたのはなぜでございましょう」

座は急に沈黙に包まれました。私も関心をもって国王の返事を待っていました。国王は口

を開きました。

「たしかに……尊師たちのお教えは尊いものとあのザビエル殿と対面致した折から思うていたことであった。それは尊師たちがこの世の利のためでなく、波濤《はとう》万里、日本に渡って参り、清貧に生きている姿を見るだけで、わかることである。それゆえ余は尊師たちがわが領内に住まい、その教えを広めることを許して参った。しかし尊師たちの国の言葉と我らの国の言葉とはちがう。尊師たちの国でムジカとよぶものを我らは音曲という。ムジカはまたとなく妙なるものであるが我らの国の音曲も長い間日本の者たちに好まれて参った」

この時私は国王が、何を言おうとしているのかがわかりました。巧みな比喩《ひゆ》。いいえ、狡《こう》猾《かつ》で問題の焦点を巧妙にそらす比喩。

「尊師たちは仏の教えを邪宗と咎《とが》め、他方仏僧たちは尊師の説く切支丹を邪宗と申す。だが仏僧たちは尊師たちのお教えを毛ほども知らぬ。知らぬものを邪宗と申すことはできぬ」

アルメイダ修道士もここではじめて国王の罠《わな》に気づき顔をこわばらせました。

「同じように尊師たちもどれほど仏の教えを承知しておられることか」

「ごもっともでございます。されば我々は仏僧たちにたびたび問答対決を申し入れました。しかしいつも拒まれて参りました」

「いや、そのような口論に益ありとは余は考えぬ。かりに仏僧たちが尊師たちに口論によって敗れたと致しても、あの者たちが尊師の宗旨を正しきものとは思うまい。ただ恨み、怒りが増すばかりであろう」

「お家形さまのお考えはさすがにございます」

とアルメイダ修道士は深くうなずき、

「ならば、なにとぞお家形さまも仏の教えと共にわれらが教えもお学びくださいませ、さすればその正否優劣がはっきりと致します」

と反撃に転じました。

こう書いては間違っているかもしれませんが、私は二人のやり取りがまるで巧みな剣士の刀さばきのようにさえ思えました。

「もとより、そう致したいものよ」

国王は老獪な微笑をたやさず、

「しかし仏の教えを知っても尊師たちの教えの一端はわかるのではあるまいか。仏の教えにも尊師たちの宗旨と相通ずるものがあると思わぬか。たとうれば尊師たちが神《デウス》とよぶお方は我らの言葉を借りるならば仏でもあり如来《にょらい》でもあるとは申せぬか、これも尊師たちの申すムジカが我らが音色、音曲と言うものを指すごとく」

「恐れながら」

アルメイダ修道士は断固として首をふりました。

「仏や如来と私たちが信じるデウスとはまったく違うものでございます」

「どのように」

「神《デウス》は人間を超え、自然を超えた唯一《ゆいいつ》のものにござります。されど仏や如来は人間を超えたものとは申せますまい。しかもデウスのごとく唯一ではなく、あまりに数多うございます」

「されど仏の教えにも色々とある。大日如来と申す仏は尊師たちのデウスのように世の中心、宇宙の中心で唯一であるとも申せる」

「では他の仏たちはどうなりましょう」

「大日如来の光明のひとつと申してよかろう」

「私の知る限り、仏の教えは人間のうち悟りをえたものは仏になると説いておるとか。言いかえるならば仏は悟れる人にほかなりませぬ。我らのデウスは悟れる人ではございませぬ。それは我ら人間の智慧《ちえ》には及ばぬ万能のお方にござります」

「万能の方」

「はい」

「万能のお方がなぜこの世の悪を作った。万能のお方ならばなぜこの世の邪悪を消すことができぬ。万能のお方ならば……」

国王の顳顬《こめかみ》が神経質に動くのを私は見ました。彼がむきになったのを私は感じ、この論争は中止したほうがいいと思いました。

「失礼を致しました」

アルメイダ修道士も部屋の雰囲気《ふんいき》に気づいて頭をさげました。国王の重臣たちが杯をおいて険悪な表情をしはじめたのがわかったからです。

「われらの無礼をお許しくださいませ、今日はお家形さまに食事を楽しんで頂こうと思いましたのに……」

「そうであった」

国王もすぐ微笑をとり戻しました。

「尊師の気持もよくわかるが、余は六ヶ国の大守である。家形はおのれの意志のみでは動けぬと常々考えている。家臣たちの心も察し、領民の心も考え、身を処すことが家形の心がけであると思うている」

それは私たち宣教師に向ってというよりは、不安げに見守っていた供の重臣たちに言いきかせている言葉だとすぐわかりました。アルメイダ修道士も礼儀正しく応じました。

「仰《おお》せの通りでございます」

我々は国王と若君長寿丸さまとを大分川の舟つき場までお送りしました。夕陽《ゆうひ》のなかを蜻蛉《とんぼ》が相変らず飛びまわっていました。国王はその夕陽をあびて我々に微笑を向けました。

しかしその帰り道、

「あの方は熱くもなく冷たくもない、ただ生ぬるいのです」

と日本語がまだ話せぬので食卓でも黙っていたバプティスタ神父が初めて口を開きました。

そうです。彼はヨハネ黙示録三章の言葉をそのまま借りて国王を批評したのです。

「あの方が心の底から切支丹《キリシタン》を憎み、切支丹を迫害するならば、ちょうど若い頃《ころ》基督《キリスト》教徒を迫害した聖パウロのように改宗する見込みがある。しかしあのお方は我々をただ利用するためだけに我々を許している」

実は私も漠然《ばくぜん》ながら豊後《ぶんご》の国王にそのような印象を持っています。豊後の国王はたしかに肥前の大村純忠《すみただ》さまとは我々の教えにたいする身構えが根本的にちがうのです。

サンチェス修道士よりトルレス神父宛《あて》の書簡（一五六三年）

豊後の王は我々に臼杵《うすき》に住院と教会を作ることを許可しました。私は完成の暁にはここに住むであろうギリエルメ修道士を伴って府内から七里の臼杵を訪れました。

臼杵は青い海に面した美しい漁村です。その海に陸から僅《わず》か離れた円形の丹生《にう》島という島があり、そこに豊後王の館《やかた》と砦《とりで》とが作られています。

私が到着した時は控えの間には謁見《えっけん》を受ける領内の武将たちが進物をたずさえて順番を待っていました。

王は我々の来訪を悦《よろこ》び、ただちに引見してくれました。そして、

「尊師たちがこの臼杵で住まうことも教えを広めることも自由である。臼杵が府内と同じように栄えることを余は望んでいる」

と言い、我々に下賜《かし》する土地を家臣に案内させました。

それは砦からそう遠くはない平地にあって、もちろん前方には臼杵湾が碧《あお》く拡《ひろ》がり、後方は丘に囲まれた津久見《つくみ》という静かな農村になっています。すぐ近くにまだ完成まもない典雅な邸《やしき》が林に囲まれてありました。ギリエルメ修道士も私もまったく他意なく、この優雅な邸はどなたが住まうのかと案内の家臣にたずねました。

彼は非常に言いにくそうに、それは国王の側室の邸のひとつであり、本来ならば王の城内に住むべきであるが夫人、矢乃さまが烈《はげ》しい嫉妬《しっと》にかられて丹生島から追い出したのだと答えました。

今まで私たちは国王の女性関係について知りませんでしたが、悲しむべきことには王は恥ずべき淫蕩《いんとう》な生活をかなり送っていたようです。

この優雅な邸も王がしばしば通う側室が住み、その側室はもともと王に謀反《むほん》を起したために殺された重臣の妻だということです。

こういう話を耳にしますと、私には豊後王という人物がいったい如何《いか》なる人格なのか途方にくれます。繊細で鄭重《ていちょう》で聡明な上に何ごとにも深い関心を持ちながら、他方では残酷で淫蕩という二重の面をもった王をやがては切支丹になるなどと考えていた私たちは大きな錯誤を犯していたのかもしれません。

欲望を充《み》たしたあと、宗麟は供をつれて館に小さい影のようにこっそり戻っていった。この女の邸を訪れる時は誰にもわからぬよう——というより正室矢乃《やの》の嫉妬を刺激しないため——夕暮を選び、闇《やみ》が臼杵の城下町を包んでから帰っていくのだ。

「お家形さまともあろう方が、なぜそのように人眼をはばかられます」

口のあたりに皮肉と蔑《さげす》みのうす笑いをうかべて女は宗麟を嘲《あざけ》った。

「いや、家形《やかた》なればこそ人の眼には気をつけねばならぬ」

と宗麟は視線をそらせたまま答えた。

「いつか、お訊《たず》ねしたく存じていましたが」

と女はうす笑いを残したまま、

「宜《よ》しゅうございますか」

「たずねるがよい」

「なにゆえに、わたくしごとき女を弄《もてあそ》ばれます」

「弄ぶ」

「はい、お家形さまは女としてわたくしを本心で御寵愛《ごちょうあい》くださったことは一度もございますまい。府内に住まわせて頂きました折もこの臼杵におよびくだされました後も、お家形さまはわたくしを弄ぶためだけにお使いになりました」

宗麟はしらけた表情で女の詰問《きつもん》をきいていた。そのくせ、心のなかでは彼女がさすがに彼の心を読みとっていると思った。

「そなたにも余を慕う気持はつゆだにあるまい。余と床を共にしてそなたは石や道具のごとくに余の言いなりになった」

「それでお楽しみがございますか」

「楽しみはある。時折、余を見るそなたの眼に憎しみが燭台《しょくだい》の炎のように光ることがある。そなたは夫の服部右京亮《はっとりうきょうのすけ》やその一族を亡《ほろ》ぼした余に抱かれている。そして弄ばれているそなたの眼の恨みの炎が余の体をかりたてる」

女は息をのんで宗麟の横顔を凝視した。そして思わず、

「むごい」

とロにしてはならぬ言葉を声にした。

「怖《おそろ》しいお方じゃ、そこまで、このわたくしを……わたくしにはお家形さまが如何なる方かわかりませぬ」

「余にさえも、この余がわからぬ……」

宗麟は女を残して廊下に出た。闇のなかで片膝《かたひざ》をついて供の侍が彼を待っていた。まだ二

十歳にならぬこの若侍が彼を体全体で嫌悪《けんお》している感じがした。その気持を嚙《か》みしめながら宗麟はそばを通りすぎた。

（余にさえも……この余が……わからぬ）

女に言ったその言葉はまるで韮《にら》の味のように口に苦く残った。

彼は女をからかったのではなかった。嘘《うそ》を言ったのでもなかった。真実、宗麟には自分の心が、自分の内面が、自分の魂が、いかなる形をとっているのか摑《つか》めなかった。人にはうちあけなかったが宗麟は死が怖しかった。家臣の謀反もこわかった。切支丹のザビエルに憬《あこが》れた。そして服部右京亮の女の体に堕《お》ちていきたかった。

「拳頭《けんとう》一隻《いっしゃく》、只箇《しこ》十万」

宗麟は彼が京都から招いて教えを乞《こ》うている怡雲和尚《いうんおしょう》の丸い、肉づきのいい顔を思いだした。

「恐れながらお家形は言葉によってお考えになる。理によってお考えになる。その言葉もお考えもお捨てなされよ、いえ考えることすらお捨てなされよ」

和尚は最初、宗麟に禅をくませた時、背後にまわって、そう説いた。

「ただ放下《ほうげ》、ひたすら放下」

放下とは放棄すること。和尚は、

「身を捨ててこそ、心を獲るのでございます」

と言った。

臼杵の闇は府内のそれより深く濃い。遠くで海の音がする。海鳴りを聞きながらまるで自分の心はこの闇そのものだと宗麟は思う。心の闇、無明の闇、一灯も見えぬ路《みち》を彼は供と共に馬で城に戻る。

おなじ漆黒の闇のなかで女は燭台の炎が蛾《が》の羽のようにゆれるのを見つめた。先ほどの宗麟の言葉が頭に残っている。かほどの屈辱を受けながら女は何ひとつ復讐《ふくしゅう》できぬ我が身が口惜しい。

かすかな気配がする。ぎくっと身を震わせて、

「誰じゃ。たにかい」

と召使いの女の名を呼んだ。

「お忘れにござりますか」

とかすかな声が縁側の蔭《かげ》から聞えた。

「喜左衛門にございます」

「喜左衛門？」

その名が女に亡《な》き夫の服部右京亮の忠実な家来——あの顴骨《かんこつ》のとび出た顔を蘇《よみがえ》らせた。瞬間、彼女は体を硬直させて震えた。

「おなつかしゅう、存じ奉《たてまつ》る」

「……」

「お許しもなく御庭に忍び入りました無礼の段を御容赦くださりませ」

女は顔をそむけて男の声を聞いていた。そして男の背後に亡き夫、服部右京亮やその一族がじっと潜んでいるような気がした。

「お辛《つろ》うございましょう。事の次第はすべて喜左衛門、存じております」

「存じて……咎《とが》めに参ったのか」

女は開きなおった。この男に自分のあり様を知られているとわかった時、彼女の咽喉《のど》もとに黒い嗤《わら》いがこみあげてきた。女は低い声で笑った。

「咎めたければ存分に咎めるがよい」

「なにゆえこの喜左衛門が奥方さまを咎めましょう。喜左衛門もまた、かくの如《ごと》く生きながらえております」

「どこに匿《かく》れておった」

「豊前《ぶぜん》、筑前《ちくぜん》、肥後など転々と逃れておりました。あの国々にはお家形を快く思わぬ方々が多くおられますゆえ」

「また謀反を企てる者が出るのか」

「出ましてもふしぎではございますまい。いえ」

喜左衛門の声は急に確信ありげなものに変った。

「近いうちに烈しき戦も始まるでございましょう」

「誰じゃ、その戦を起す者は」

自分の声に期待と悦びがこもっているのを女は感じた。宗麟への反逆、反抗、反乱は次々と起るがよい。そしてあの小心翼々たる男がそのたびに不安で蒼白《そうはく》な顔を歪《ゆが》めるがいい。

「まだ申しあげられませせぬ。だがその戦がはじまれば生きのびた我ら、服部党の者たちは勇んで加わりましょう。大友宗麟への我らの恨みの根は深うございます」

「勝目がおありか」

「周防《すおう》の毛利さまがこたびこそ腰を入れてお助けくださる由《よし》」

女はしばらく沈黙をした。しばらく沈黙した後、

「それを……知らせるためだけに、参ったのか」

とたずねた。

「いいえ」

「では、聞こう。このわたくしにお家形の寝首でもかけ、と申すのか」

「おできになれますまい。喜左衛門は今の奥方さまがおできになれるとは夢思いませせぬ」

喜左衛門は女の心の底を見すかしたように言った。その言葉をきくと女は自分の肉体の業《ごう》を知りぬかれたような気がして顔を赤らめた。

「ひと思いに殺《あや》めるには、奥方さまのお恨みはあまりに深うございましょう。されば向後は

宗麟の心をじわり、じわりと怯《おび》えさせられませ。苛《さいな》むようになさりませ」

「如何《いかが》致せばよいのじゃ」

「その儀について、喜左衛門、今夜、お話しに参りました」

植込みから黒い影はつと縁側に近よった。


臼杵《うすき》丹生《にう》島に新城を築いてからも毛利との競合は続いていた。正直いって戦局は毛利側に有利だった。

だが宗麟にとって有難い出来事が起った。

毛利元就《もとなり》の東の宿敵である尼子一族の反撃がこの頃《ころ》から活発になってきたからである。

切掛けは石見《いわみ》の大森銀山を元就が奪ったことから始まった。

大森銀山は島根県大田市にある。

余談だがこの銀山については次のような言い伝えがある。

大永六年の春に博多《はかた》の商人、神谷《かみや》寿禎《じゅてい》が銅鉱を求めて石見海岸を航行中、仁摩の沖でキラキラと光る山を見た。寿禎は船頭に教えられてかの山に入り、清水寺という寺にたどり着き、観音像《かんのんぞう》を礼拝したところ、足元に銀の塊りを発見した。それが大森銀山開鑿《かいさく》の始まりであるという。

豊富な産出量を持つこの銀山は尼子側の本庄常光《ほんじょうつねみつ》の領内にあった。元就は手を変え、品を変え、本庄常光を懐柔し、懐柔した後に言いがかりをつけて彼とその一族を殲滅《せんめつ》させた。

大森銀山を奪われて——

尼子氏は奪回を目ざし反撃にかかった。この時、尼子氏の当主、晴久が死に、嫡男《ちゃくなん》、義久《よしひさ》があとを継いだが、彼は元就に両面作戦を強《し》いるべく、宗麟に応援を求めた。

宗麟に異存はない、絶好の機会である——

「毛利狐《ぎつね》に存分に思いしらせよ」

と宗麟は何があっても尼子義久の要請を入れる気持で軍議に先だって加判衆の面々に命令した。

「こたびこそ去年の仇《あだ》を討つ絶好の折ぞ」

宗麟は前に敗走した国東《くにさき》の田原軍団を送るのをわざとやめた。味方に有利なこの作戦を田原氏に行わせてその一族の発言力を強化してはならぬ。それは矢乃の我儘《わがまま》を更に増長させることにもなる。

九月、戸次鑑連《べっきあきつら》、吉弘鑑理《よしひろあきなお》の軍勢が豊前に送りこまれた。予想通り手薄な毛利は後退し、その勢力圏の中元寺《ちゅうがんじ》（福岡県添田《そえだ》町）、柳浦（北九州市）の砦《とりで》は落され、大友軍団は苅田《かんだ》の松山城（福岡県苅田町）に迫った。

「二つ口の戦なすべからず」

元就は元来、両面作戦の不利を熟知している。

それだけに尼子に戦を挑《いど》まれ、大友があらたに攻撃を開始したと知って、

「かの豊後《ぶんご》の坊主《ぼうず》が図にのりおった」

と側近に口惜《くや》しげに呟《つぶや》き、頬杖《ほおづえ》をついて事態の処理を考えこんだ。豊後の坊主とは剃髪《ていはつ》した宗麟のことである。

考えこんだ末結論がやっと頭にうかんだ。

「大森の銀を御門《みかど》と将軍家に献上いたせ」

奪った大森銀山の銀を半ば朝廷と幕府とに献上して、そのみかえりとして宗麟との和議斡《あつ》旋《せん》を依頼する――それが元就の策だった。

勝つためにはどんな恥でも屈辱でも忍ぶ。他の戦国武将もそうだが元就はその点、更に老《ろう》獪《かい》だった。

彼は幕府も朝廷も経済的に不足していることを見ぬいていた。大森銀山の二分の一の銀ならば御料所と幕府料所としては咽喉から手の出るほど欲しい筈《はず》である。

画策は図にあたった。

足利《あしかが》将軍、義輝《よしてる》は元就の申し出を悦《よろこ》び、朝廷に上奏して和議勅許の諭旨を頂くことに成功した。

勅使は久我《こが》春通、聖護院道増だったがそのうち久我春通は、府内に来て司祭館で宗麟と共

に食事したことがフロイスの報告に書かれている。

久我春通の提案をきいて宗麟はすぐに承知していない。頭の回転の早い彼は今になって毛利が和議を提案したわけが、わかりすぎるほどわかった。

「侍は一度申しかわしたる儀は何条、別儀あってはなりませぬ。これまで毛利家御用捨（約束違反のこと）迷惑させられました」

と彼は久我春通に憤懣《ふんまん》をうちあけた。

だが腹の底では毛利勢の手ごわさを考え、交渉次第では妥結してもよいと思わぬでもなかった。事実苅田の松山城では毛利側の反撃をうけ、戸次鑑連、吉弘鑑理の軍勢も苦戦していたからである。

慎重に慎重に交渉は進められた。戸次鑑連や吉弘鑑理の第一線の武将も意見をのべた末、やっと毛利と大友との間に和睦《わぼく》の議定書が交された。

毛利方は、門司《もじ》城を残して豊前、筑前の勢力圏の城々を大友方に渡し、元就の末子、秀包《ひでかね》を宗麟の娘と結婚させる等がその条件である。

「かりそめの手打ちよ」

と元就は知らせを聞いてたまたま機嫌《きげん》をうかがいにきた長男隆元《たかもと》に笑った。

「かりそめ、と仰《おお》せられますと」

何事につけても謹厳な隆元が訝《いぶか》しがると、

「門司城は渡してはおらぬ。尼子さえ片付けば、いつでも仕かけられる」

と老獪な老人は長男の真面目《まじめ》さに当惑したような顔をした。

隆元はこの父に遠慮して自分の妻子に会う場合も元就のいない場所で面会するような性格である。それだけに元就はこの隆元に小言を言いながらも信頼をしていた。

その隆元は父の命をうけて現在の松江市北方にある白鹿《しらが》城を攻めるべく式敷《しきじき》の蓮華《れんげ》寺に本陣を作り、諸軍勢の着到を待っていた。当時の蓮華寺は今の高宮町にあった。

前々日、近くの三谿《みたに》郡、和智《わち》（広島県三次《みよし》市）の城主、和智誠春に食事に招かれた。

「当地の鮎《あゆ》はまた格別なれば」

と言われ、隆元はわずかな供をつれて誠春の居館に赴いた。

「これはうまげな」

皿にもられた鮎に隆元は楽しげに箸《はし》をつけた。

「御賞味頂き、誠春も満足至極でござる」

と和智誠春は更に鮎を運ばせた。

一行は食事後、蓮華寺に戻ったが、その夜、隆元は烈しい下痢《げり》と嘔吐《おうと》に襲われ、未明、衰弱したまま息を引きとった。

報をきいた元就は驚愕《きょうがく》した。拳《こぶし》で膝《ひざ》を何度も叩《たた》き平生は感情をみせぬこの老人には珍しく、

「余の生涯《しょうがい》もこれで終った」

と落涙して、呻《うめ》いた。

「毒をもられたか、隆元。そちの恨みはこの父が晴らすぞ」

その言葉通り、彼は和智誠春とその弟とを監禁し、やがて厳島《いつくしま》神社の社頭で首をはねた。

隆元の死は早馬で臼杵に知らされた。それを耳にすると、

「これにて、晴英《はるふさ》の仇をうった」

と宗麟は喜悦の声をあげた。晴英とはいうまでもなく、大内家の養子となり、後に毛利元就に追いつめられて長門豊浦の長福寺で自決させられたあの弟のことで、

「毛利狐も涙を流すことがあるのか」

と宗麟は満足そうだった。彼は心の底から尼子がこの元就の打撃に乗じて巻きかえすのを期待した。

「この幸運も……」

と矢乃《やの》も夫に嬉《うれ》しげに言った。

「お家形《やかた》さまが切支丹《キリシタン》を見離されたからでございます。切支丹を見離されれば神仏はただちに果報を大友家にお与えになるではありませぬか」

宗麟は矢乃を小うるさく思いながらも、あるいは真実かもしれぬと考える。

「毛利とも手をうった、隆元も死んだぞ」

彼は矢乃に見つからぬよう女の邸《やしき》に赴き、自己満足にふけりながら酒を飲んだ。

「お嬉しゅうございましょうな、もっとおすごしなされませ」

瓶子《へいし》をとって女は酒を注《つ》ぎながら、

「されど、いつまで、この御果報を神仏がお与えになりますやら」

とひとりごとのように呟いた。

「今、何と申した」

聞き咎めて宗麟は唇《くちびる》から杯を離した。

「いいえ」

「いや、たしかに余の果報は続かぬと申した」

「お許しくだされませ」

「申せ、何か知っておるのか」

彼は女の髪をつかんで床に押えつけた。女は大袈裟《おおげさ》に悲鳴をあげ、喜左衛門の言葉を心のなかで反芻《はんすう》した。この宗麟をじわりじわりと怯えさせ、苛むようになされること……。

「噂《うわさ》でございます。噂にすぎませぬ」

「誰の噂か」

女は嘘《うそ》と事実とをとりまぜて白状した。喜左衛門という亡《な》き夫の家臣が突然庭に忍びこんできたこと、彼の話だとある同紋衆の一人が毛利に加担して大きな謀反《むほん》を企《たくら》んでいると言ったのである。

「その同紋衆とは誰ぞ。申せ、申せ」

と宗麟は女の髪を力まかせにつかみながら責めた。

女の死

喘《あえ》ぎながら女は声を洩《も》らした。

彼女の髪をつかんだまま宗麟《そうりん》はあまりの意外さに茫然《ぼうぜん》自失した。

その名の持主が謀反を企てている。信じられなかった。

「鑑種《あきたね》が。鑑種がか」

「はい」

「高橋鑑種か」

「はい」

「宝満城の高橋鑑種が……」

譫言《うわごと》のように彼は同じ言葉を繰りかえした。念を押すというよりは、あまりの驚きのため、想念をまとめることができぬためだった。

高橋鑑種は宗麟が臼杵《うすき》鑑速《あきすみ》や戸次《べっき》鑑連《あきつら》と共に頼りにしている一族の一人であり重臣でもある。

十一年前の天文二十二年、女の夫、服部右京亮《はっとりうきょうのすけ》と徒党をくんで反乱を起した一万田《いちま》弾正忠《だだんじょうのじょう》鑑相《あきすけ》の弟が鑑種だが、鑑種は宗麟にたいしては忠誠を誓い、まるで兄の死を忘れたかのように振舞いもし、奉公を尽してきた。

最初の頃《ころ》は多少の警戒心を抱いていた宗麟だったが、弘治《こうじ》二年、宗麟の弟の晴英《はるふさ》が毛利元《もと》就《なり》に攻められ自害した混乱に乗じて、筑後《ちくご》の小原鑑元《おばらあきもと》たち土豪が反乱を起した折、

「鑑種をも攻め手に加えてみよ」

と宗麟はわざと彼を制圧軍のなかに入れたことがある。それによってこの男の忠誠を試すつもりだった。

期待に応《こた》えて鑑種は他の武将と共に反乱軍とよく戦い、これを撃破している。

以来――

宗麟は彼を登用した。まず筑前の御笠《みかさ》郡を与え、宝満、岩屋両城の城主にも任じた。そして筑後の名門で高橋（福岡県大刀洗《たちあらい》町）を領していたが子孫なく断絶した高橋家をつがせて高橋鑑種と名のらせ、それによって謀反の多い筑肥地方の監視役にさせたほどである。

それだけに、

「鑑種がか、高橋鑑種がか」

と宗麟は女の髪を摑《つか》んだまま、繰りかえして呟《つぶや》いた。そして、

「なにゆえ……余に背く」

とまるで自分自身に問うように力のない声で女にたずねた。

「わかりませぬ」

女はうなだれたまま、かすかに答えた。

「ただ……鑑種さまは一万田弾正さまの弟でございます」

十一年前の恨みを高橋鑑種は胸の底にかくして、ひそかに燃やしつづけたのか。面《おもて》では忠誠を装い、内心では裏切りの機会を待ちつづけていたのか。

髪を握りしめた宗麟の手から力が次第に失《う》せていった。

無明の闇《やみ》のなかを城に戻りながら彼はまだ半信半疑だった。彼は女の言葉を信じ、そしてそれを疑った。同時に誰をも心底から信じられない心に索漠《さくばく》としたものを感じた。無明の闇に海だけが鳴っている。

数日後、彼は高橋鑑種を茶の湯によんだ。そして宗麟自身が主人役にまわり、客として鑑種のほか臼杵鑑速も同席させた。

「絵と申し、珠光の茶碗《ちゃわん》といい、せいこうの壺《つぼ》といい、まことに眼福の至りにございます」

と鑑種は両手をついて牧谿《もっけい》の漁夫之絵をはじめ宗麟の茶道具を鑑賞してほめた。

「先日、都より戻った島井宗室より求めしものだが、気に入られたか」

宗麟はさり気ない表情で会話をすすめ、

「宗室は都や堺《さかい》の様子など詳しく語ったが、堺の町にては宗室と同じく商人にて茶の湯を好む者が多く、近頃は唐、朝鮮のみならずルソンよりもさまざまな茶碗を一挙に手に入れたとか」

そんなことを話しながら宗麟は茶杓《ちゃしゃく》を釜《かま》に入れて突然、たずねた。

「筑肥にて謀反の気配はないか」

鑑種の顔が一瞬、硬直したように宗麟には見えた。その硬直した顔のまま、

「ただ今のところ、ございませぬが……」

「毛利は筑肥に事あれかしと絶えず待ちかまえている。さらば、余は片時も気をゆるめておらぬぞ」

高橋鑑種の顔は陽《ひ》にやけ、頰《ほお》から顎《あご》にかけて鬚《ひげ》で埋まっている。その顔に陽が翳《かげ》るように暗い表情がさっと走った。彼もまた宗麟の言葉の調子に気づき、その裏にあるものをさぐっているようだった。

彼が城を辞去したあと、宗麟は同座していた臼杵鑑速の意見を問うた。臼杵鑑速はあらかじめ宗麟から事情をきいていた。

「さだかには判じかねました」

と彼は訝《いぶか》しげに答えた。

「ただお家形さまが筑肥の動きにつき、お訊《たず》ねありました時、鑑種殿の顔色が変られたごとくに見えましたが……」

「そうか、余も同じことに気づいた」

「しかし、それをもって、心底、判ずることはできませぬ」

「ならば今日より鑑種の動きより眼《め》を離してはならぬ。然《しか》るべき細作（忍者）も送り、それとなく窺《うかが》うことに致せ」

その夜、宗麟は女の邸に出かけた。松林に囲まれた邸で女は先日のことは忘れたような顔で待っていた。宗麟もまた何もなかったように彼女の酌《しゃく》で酒をのみ風の音をきいた。どちらがこの芝居を支えきれず、口を先に出すか、たがいにじっと待っていた。

「お可哀《かわい》そうに」

と女はしばらくすると宗麟の顔をじっと見て泪《なみだ》ぐんでみせた。

「余が憐《あわ》れか」

「わたくしには、そう思われてなりませぬ」

「なぜであろう」

「お家形さまはどなたをも信じられぬお方。まるで日々地獄に生きておられるよう」

女は片袖《かたそで》で泪をぬぐってみせたが、宗麟がどのような表情をするかを窺っていた。

「案ずるには及ばぬ」

宗麟は女を試すために答えた。

「そなたが告げてくれた高橋鑑種にも毛頭も疑心など抱いてはおらぬ。鑑種は同紋衆の一人として余にも大友家にも忠実に奉公してくれている」

「鑑種さまをお調べになりましたか」

「調べずともよい」

宗麟は盃を口にあてながら陽気を装って、次の言葉を口に出した。

「山河大地、心は山河大地のみなり。さらに波浪なし、風煙なし」

それは彼が都の大徳寺の怡雲和尚《いうんおしょう》から学んだ言葉だった。怡雲和尚はやがてこの臼杵に来て大規模な禅寺を建てる約束を宗麟とかわし、しばし滞在しているのである。

「日月星辰《じつげつせいしん》、心は日月星辰のみなり。さらに霧なし、かすみなし」

「いかなるお言葉でございますか」

「心さえ不動にして明鏡止水なれば、何事においても動かぬと怡雲和尚は申された。余もその通りと思うている。されば余は日々、地獄には生きておらぬぞ」

女は沈黙した。しかし語れば語るほど宗麟は心が虚《うつ》ろになり、燃えつきた白い炭のように冷えびえとしてくるのを感じていた。

頭のいい宗麟は禅を学べば学ぶほど、その禅語の深さや美しさに酔った。しかし酔うこととそれを会得《えとく》することとはまったく別だった。怡雲和尚が野狐禅《やこぜん》と宗麟を叱《しか》ったのはそのような言語に頼って本質を得ぬ修行の仕方だった。

(そなたの申す通りだ)

と宗麟は酒をあおりながら、女の白い首すじを見て思った。

（余は日々ではないが、時として地獄にいる思いがする。余は誰をも信じられず、おのれ自身の心をも信じられぬ）

「生死去来、心は生死去来のみなり、さらに迷なし。椅子払子《ほっす》、心は椅子払子のみなり、さらに竹なし、木なし。かくの如《ごと》くなるがゆえに即心是仏」

言葉は口から流暢《りゅうちょう》に、しかしむなしく流れ、ただその格調あるリズムだけが軽薄な声のように宗麟の心を更に白けさす……。

永禄《えいろく》九年、高橋鑑種は府内に館《やかた》を持って大友屋敷と臼杵城とに忠実に出仕していたが、しかし乱破《らっぱ》細作の報告では所領地、太宰府《だざいふ》町の宝満城、岩屋城には兵糧《ひょうろう》、馬糧がしきりに運びこまれているという。

乱破の報告を受けた宗麟は疑惑を深めた。彼は臣下に命じてそれとなく鑑種の日常を探らせた。

別に変化はない。しかし宗麟の疑心は更に変化のないことが逆に怪しいと思うようになっている。叛意《はんい》を抱かぬ者ならば、このような静謐《せいひつ》な生活を送る筈《はず》はない。心に謀反があるから逆に高橋鑑種は目だたぬような毎日を送っているのだ。

その鑑種が突然、府内から筑前《ちくぜん》に戻った。

「筑前の動静を見張り致すため」

というのが、届け出た帰国の理由だったが、宝満城に戻ってから、彼は加判衆にも同紋衆にも何ひとつ報告をしてこなかった。

「使いを送れ」

と激怒した宗麟は臼杵鑑速に命じ、事情をきくために使者を宝満城に赴かせた。すると高橋鑑種の返事は、

「お家形《やかた》さまの御疑心たえがたく故郷に戻り申した」

というものだった。鑑種も鑑種で宗麟の疑惑の眼を府内で毎日感じ、遂《つい》にそれに耐えることができなかったのである。

第二の使者、吉良《きら》某が宝満城に赴き、府内に戻り出仕を命じる宗麟の言葉を鑑種に伝えたが、これには返答はなかった。鑑種は出仕することで死を賜《たま》わることを怖《おそ》れ、周辺の城主に檄《げき》を飛ばして反乱を起すことに踏み切ったのである。

「お家形の御不信が鑑種をあそこまで追いつめたのよ」

と鑑種をよく知っている吉弘鑑理《よしひろあきなお》たちは眉《まゆ》をひそめた。

「あのお方は事を決めるに軽々しい」

古い重臣の一部には宗麟が神経質で、気分や人への評価が変りやすく、苦労が足りぬよう

に見えた。

しかし反乱を見逃すわけにはいかぬ。

同紋衆の談合により、重臣中の重臣が三人、征討軍を指揮することになった。豊洲《ほうしゅう》三老といわれる臼杵鑑速、戸次鑑連、吉弘鑑理の三人である。


しかし高橋鑑種も鑑種でそれなりの計算がある。たしかに彼は宗麟の猜疑《さいぎ》の眼に耐えかねて反乱に踏み切ったのだが、蔭《かげ》で毛利元就の相も変らぬ使嗾《しそう》がこれを刺激した。

元就にとって二年前の宗麟との和議は一時の手段にすぎぬ。

まず山陰の尼子を叩《たた》く。そしてこれを亡《ほろ》ぼしてからふたたび北九州を狙《ねら》う。元就の原則的作戦ははじめから決まっている。彼が最も怖れていたのは尼子義久《よしひさ》と大友宗麟とが連合して南北から周防《すおう》を挟《はさ》み撃ちにしてくることだった。「両国の戦、好《この》しからず」と元就は息子たちにたえずいつも語り、一方と戦う時はもう一方と和を結ぶことを教えた。

だがその尼子との戦いは永禄八年から峠がみえた。永禄九年四月、出雲《いずも》に全軍四万を集結させた元就は尼子義久のたてこもる富田《とだ》城を包囲、次々と周囲の城を陥して援軍を断ち、これを裸城にした。

糧道を封鎖して城兵の士気を衰えさせた後、老獪《ろうかい》な元就は籠城《ろうじょう》の敵兵がひそかに逃亡、退去することをわざと見逃したのである。

人間の心ほど頼りがたいものはない。もはや尼子側に勝目なしと感じた城兵のうち、重臣の一人、牛尾豊前守《ぶぜんのかみ》などは妻から、

「侍は渡り者にて候《そうろう》ぞ」

と泣きつかれ、城を捨てて逃げ去った。

牛尾につづいて他の尼子の武将も一人、また一人と富田城を見棄てて城をおりた。元就の巧妙な心理作戦が成功したのである。

六月になると「近日は富田（城）より五十人、百人ずつ退去」「日々富田より人まかり退《の》き」という有様で、もはや尼子側は戦意をまったく失ったといってよかった。

元就のうまさは子供たちの反対を押し切って尼子義久や秀久、倫久《みちひさ》の三兄弟の助命を認めた点である。これによって名門尼子一族は元就と戦うこと四年の後、最後の拠城である富田城を出て、その勢力は崩壊したのである。

尼子を亡ぼした以上、元就が宗麟との和議を遵守《じゅんしゅ》する筈はない。

「久しぶりにて豊後《ぶんご》の守護殿とうち興じようぞ」

と元就は彼の癖で脇息《きょうそく》を指でこつこつと叩きながら富田城陥落を祝うため父に会いにきた小早川隆景《たかかげ》や吉川《きっかわ》元春に北九州を攪乱《かくらん》する策を告げた。

元就は大友領内のうち最もその勢力が弱い筑前や肥後の地侍たちの動きに通じていた。そ

れは弘治三年に肥前で秋月文種と共に宗麟に反逆して敗退し、毛利方に逃げこんだ筑紫広門《つくしひろかど》から情報を集めていたからである。

「まず、広門を肥前に送り、旧臣と共に乱を起させよ、その折、肥前の竜造寺隆信《りゅうぞうじたかのぶ》と気脈を通じさせるがよい」

と地図に皺《しわ》だらけの手をのばし、元就は詳細に作戦を息子たちに説明した。

今度こそ「豊後の守護を久しぶりに」苛《いじ》めることに老人は自信があった。まるで枯草をあちこちで燃えあがらせるように筑前と肥後の土豪や地侍たちを次々と蜂起《ほうき》させる。このように宗麟を狼狽《ろうばい》混乱させることに彼は快感をおぼえた。

元就は生理的に豊後の守護が嫌《きら》いである。名門の家に生れ、さほどの苦労もなく、数ヶ国の大守となった宗麟にたいし、土をなめ地を這《は》うようにして這いあがってきた元就は妬《ねた》みと共に軽蔑《けいべつ》の感情を抱いている。朝廷や将軍に阿《おも》ね、贈物を欠かさぬことで、地位を得るやり方にも反撥《はんぱつ》を感じた。

それだけに――

公卿《くぎょう》のような顔だちをしたこの男の顔を恐怖や不安で歪《ゆが》ませるのが元就にとって快楽だった。

大友重臣の一人高橋鑑種《あきたね》が宗麟からあらぬ疑心を持たれ、困惑し、困惑以上に怒りはじめているという情報を手に入れた時、老人はくぼんだ頬に満足の笑いをうかべ、

「鑑種殿に毛利はいつにても加勢仕る、と使いを送れ」

と命じた。

ためらっていた高橋鑑種が反乱にふみ切れたのはこの毛利の応援と共に筑紫広門が毛利方の応援をえて肥前の片羽城で旧臣を集め、宗麟に謀反《むほん》を企てていると知ったからだった。

騒然とした臼杵《うすき》城で宗麟の正室、矢乃《やの》は夫の行状について穏やかならざる噂《うわさ》を耳にした。宗麟の小姓が同僚と話しあっている会話を矢乃付きの侍女の一人が聞いたのである。

城下に松林にかこまれ、小姓たちが「松のお邸《やしき》」とよぶ新しい家がある。その家に宗麟がひそかに通っているというのだ。

夫の行状については矢乃はこれまでも心から信じたことはない。

戦国の武将であるから家を守る子供たちを作るために正室以外の側室をおくのはやむをえぬと矢乃も考えている。

しかし彼女の自尊心は側室が臼杵城のなかで自分と同じ空気を吸い、自分と同じように家来や女たちに世話をされているという状態には耐えられなかった。

宗麟は気の強い彼女の要求を入れて、側室を城はもちろんのこと、城下町にもおかぬ約束をさせられていた。

しかし今度の噂が矢乃の自尊心を傷つけ、嫉妬《しっと》の怒りをあおったのは、その女が臼杵城からすぐ近い松林のなかに瀟洒《しょうしゃ》な邸を与えられたことだけではなかった。侍女の一人がこっそり小姓たちの会話から知ったのは、宗麟がそこに住む女と戯《たわむ》れている間、しばしば「お家形さまが悦《よろこ》びの声をあげられた」のを聞いた小姓たちがいるということだった。

この言葉が矢乃の心をふかく抉《えぐ》った。

矢乃と宗麟との間には永禄四年に次男が生れたばかりである。宗麟は矢乃に夫として夫婦生活の義務を怠ってはいない。

しかし夫に抱かれている間、矢乃は女の直感から自分の肉体が彼になんの愉楽も与えていないことを知った。夫はまるで、それをしなければならぬゆえに事を行い、すべてが終ると急いで矢乃から体を離した。床のなかでさえ愛情のぬくもりも感情の交流も夫婦にはないかのごとくだった。

矢乃は宗麟以外、他の男を知らなかったから、夫婦や男女の営みをそれ以上に考えたことはなかった。

しかし――

松林に囲まれた瀟洒な邸に夜がくると、夫はそこに影のように忍び入り、闇《やみ》のなかで、悦びの鋭い声をあげるという。

「その女は何者か」

と彼女は早速、噂話をしていた小姓をよんで詰問《きつもん》した。

「存じませぬ。ただお供を致すだけでございますゆえ」

と小姓は言い逃れをしたが、矢乃は許さなかった。容赦ない追及に、

「むかし服部右京亮《はっとりうきょうのすけ》さまの御室とうかがいました」

と小姓は項垂《うなだ》れて白状した。

「右京亮。お家形に弓を引き、一族ともども亡ぼされたかの右京亮か」

矢乃はもちろんその名も右京亮や一万田《いちまだ》鑑相《あきすけ》たちが府内で起した反乱も憶《おぼ》えている。丘にある大友屋敷から彼等の邸に火の手と喚声があがるのを見たのは、もう十四年前である。

「その右京亮の室に手をつけられたのか」

彼女は宗麟の性格を熟知しているだけに、その時の夫の心理が手に取るようにわかった。まったく孤独に放《ほう》り出された女。その女を夫の宗麟が手ごめにしている。女は屈辱に死にそうなのに死ねないでいる。そんな絶望的な女性に夫はいかなる痴態を行っているのか。

「きたならしくも、あさまし」

と矢乃は小姓が蒼《あお》くなるほど怒りで体を震わせた。

その夜、炎が松林のなかの邸を包んだ。何も知らぬ宗麟が既に眠りについている時刻である。

「お家形さま、お家形さま」

小姓の声が襖《ふすま》のかげから聞えた。

「お目覚めくだされませ。火がかの御女性《ごにょしょう》のお邸より起りました」

宗麟は飛び起き、襖をあけた。両手をついたまま小姓は、今日、矢乃に問いつめられたことを語った。

「見て参れ。許せぬ」

許せぬ、許せぬと宗麟は憤激して繰りかえしたが、自分がその現場に駆けつけられぬだけに、小姓をせきたてた。

「早う、見て参れ」

夜が白むまで彼はまんじりともせず、床の上で小姓の戻るのを待った。

周りがようやくうす明るくなってから、足音をしのばせ帰ってきた小姓は、

「お邸は焼け落ちましてございます」

「女は……助かったか。一命をとりとめたか」

「いえ。召使たちは危うく逃げ出しましたが、あのお方は……火中にて」

「火中にて」

「召使の申しますには、お一人で西方に向い経文を唱えられ、これにて……」

とそこで言葉をきった小姓はそれ以上、言葉をつぐのをためらった。

「如何《いか》致《が》した。なぜ申さぬ」

「いえ」

「余に申しにくきことか。かまわぬ」

「これにて……恥多き生涯《しょうがい》を終え、亡《な》き右京亮さまに……お詫《わ》び申しあげる、と」

「……」

「申しわけございませぬ」

「さがるがよい」

既に夜は明けはじめていた。臼杵城の庭では小鳥の声がきこえ、城を包む海は今日も碧《あお》く、規則ただしく浜に波がうち寄せていた。まるで何ひとつ変っていないようだった。

宗麟もまた何ごともなかったように綾《あや》つむぎに着かえ、部屋衆に声をかけた。

「御台《みだい》にのちほど対面致したしと伝えよ」

朝の評定では宝満城にたてこもった高橋鑑種の抵抗が頑強《がんきょう》で攻撃軍も難儀をしているという報告から始まった。

「のみならず、秋月種実《たねざね》も古処山城にたてこもり、戸次鑑連《べっきあきつら》殿にしばしば夜討ちをかけて参っております」

同紋衆や加判衆のなかには士気を立てなおすためには宗麟自身の「御動座」が必要ではないかと言う声も出た。

「余が出陣するまでもあるまい」

宗麟は自分の戦下手なことはよく承知をしている。彼の得意なのは外交であり、都の朝廷や将軍家との折衝であり調略だった。

「されど、これ以上、戦が長引きますと士気にも……」

宗麟は聞いている態度はみせたが心のなかでは炎と煙のなかで死を待ったあの女を思いうかべていた。あの女の屈辱。それを楽しんでいた自分。彼女の恥多き生涯――それは自身の生涯も同じだと彼は考えた。

「御出馬なされましょうか」

我にかえって宗麟はその重臣の顔に気がついた。それは妻の兄、田原親賢《ちかかた》だった。むかし色浅黒く快活な眼《め》をしていたその顔は中年の肉のついた重々しいものに変っていた。

「考えたい」

と宗麟は自分も重々しい表情をして答えた。

評定のあと彼は庭に面した廊下をわたり、矢乃の住む建物に向った。

臼杵城に移ってから、彼は九州の守護のくせに都の将軍と同じような生活様式を愛していた。たとえば女たちにも柳営の女房たちの言葉を真似《まね》させたり、女中たちの用いる油つぎや燭台《しよくだい》にも蒔絵《まきえ》を描いたものを使わせた。そして妻との連絡にも部屋衆という係を作らせていた。

奈多《なだ》城から従ってきたあの侍女が両手を床につけて宗麟にふかぶかと礼をすると矢乃の部屋まで案内しようとした。

「待て」

と彼は言った。侍女は立ちどまり、少し怯《おび》えた眼で宗麟を見た。

「たずねたきことがある。そちの名は何と申したか」

「露にございます」

「昨夜、城下にて火事のあったこと存じておるか」

露という侍女は体を硬直させ、沈黙した。それだけでこの女が嘘《うそ》の言えぬ性格だとすぐわかった。

「不憫《ふびん》なことよ。咎《とが》なき女性《にょしょう》がそのために煙にまかれて死んだが……」

「やむをえませぬ」

突然、廊下に面した襖の蔭《かげ》から矢乃の声がした。宗麟も矢乃がこっそりとこの会話に聞き耳をたてているのを承知でわざと露に質問したのだった。

「戦にて討たれました敵を不憫とも、憐《あわ》れとも申しませぬ」

「あの火事と戦と何の関《かかわ》りがある」

「女にとりこれは戦でございましょう。焼け死にました女はわたくしには敵でもございました」

矢乃は襖ごしに冷静に落ちついた声で言った。

「あの邸に火をかけるよう指図致しましたのは確かにわたくしにございます。しかし、あの女はもう、とうから死んでおりました。あの女を死なせたのは、わたくしではござりませぬ。お家形《やかた》さまでございます」

矢乃の言葉は宗麟の胸をひとつ、ひとつ抉った。

「わたくしも女ゆえにあの女が長い歳月、お家形さまから受けたさまざまな辱《はずか》しめの苦患《くげん》がようわかります。わたくしはむしろあの女の苦しみを救うてやったとさえ思うております。お家形さまは夫を殺された女にむごい扱いをなされましたゆえ」

宗麟は黙っていた。鞭《むち》のように妻のひと言、ひと言が彼の心を傷つけたが、しかし言われなくても、女の死を知った時から宗麟はその言葉と同じことを思いつづけていた。

「側室をお作りになりたければお作りなされませ。されど御成敗なされた家臣の女をお辱しめになられるような御振舞、天に恥じられませ」

止《とど》めを刺すように矢乃は最後の言葉を言うと部屋の奥に消えていった。

侍女の露はうなだれたままである。

宗麟も蒼白《そうはく》になって身じろぎもしなかった。口惜《くや》しさ、怒り、恥ずかしさの感情と自分にたいする嫌悪《けんお》感とが彼の全身を塗りたくっていた。

「余のごとき男は」

と宗麟は呻《うめ》き声にも似た声を出した。

「いかようにすれば救われる」

露は驚いたように顔をあげた。

「余は救われたい。信じられるものが何ひとつない」

足を曳《ひ》きずるようにして宗麟は廊下を引きかえした。九州六ヶ国の守護なる人の背中が露にはみじめで、孤独で、小さく見えた。

北九州の戦線は一進一退のまま膠着《こうちゃく》している。

高橋鑑種の宝満城も秋月種実の古処山城も宗麟の送った征討軍に苦戦を強《し》いたのはやはり背後に毛利元就のあと押しがあったからである。元就は暗夜、ひそかに反乱軍に海上から兵糧《ひょうろう》を送り、弾薬を補給し、軍事的にこれを助けただけでなく、更に北と東との城主たちを煽《せん》動《どう》することを怠らなかった。

ために——

永禄《えいろく》十一年、四月。大友家の血すじをひいている筑前《ちくぜん》の立花城の立花鑑載《あきとし》が反旗をひるがえした。

その同じ月、肥前佐嘉（後の佐賀）城の竜造寺隆信も毛利氏の工作を受けて兵をあげた。

謀反と反逆とはまるで四方の山にあがる狼火《のろし》のように次々と起った。

宗麟が決断をくださねばならぬ時がきた。彼自身が臼杵を発《た》って出陣する布告がただちに征討軍に伝わった。

家形が遂《つい》に大軍を率いて出陣するという報をうけて戦にやや疲れ気味だった戸次鑑連、吉《よし》弘鑑理《ひろあきなお》、臼杵鑑速《あきすみ》の率いる征討軍は士気をもりかえした。

立花城がまず陥落した。「大友興廃記」によれば立花鑑載は二万の大軍に包囲されて刀つき矢おれた後、詰めの城で自刃《じじん》、それを助けた原田親種もこの時、降伏を申し出た。

元就も息子の吉川元春と小早川隆景を送って、遂に本格的に大友軍と戦う決心をした。宗麟が出馬したという報と立花城陥落の事態は北九州における毛利の力にどのように影響するか、わからぬからである。

「よいか、大友勢のうち、兵に通じたるのは戸次鑑連を第一とする」

と元就は立花城を攻撃する吉川元春に教えた。

「宗麟は戦を知らぬが戸次だけは侮《あなど》ってはならぬぞ。立花城を奪いかえすには正面から攻めてはならぬ」

元就の言う通り戸次鑑連は大友家中で勇猛の良将と言われていた。宣教師フロイスも彼のことを「最も武勇に富んだ優れた大将」と讃《たた》えている。

余談だがこの戸次鑑連がある夏、炎天下の大木で昼寝をしていた時、夕立と共に雷が落ちてきた。鑑連はその雷を大刀で切って飛びのいたが、以後、雷にうたれて足を不自由にして、出陣も駕籠《かご》にのって行うようになったという。

吉川元春は大軍を率いて大友の手に渡った立花城を囲んだ。戸次、臼杵、吉弘の三老もただちに救援軍を送って吉川勢と対決する態勢をとった。

長い間、一進一退し、くすぶっていた大友、毛利の必死の攻防はここで最終的な局面を迎えた。

毛利に勝つ

永禄十二年、三月、臼杵《うすき》からおびただしい軍勢が筑後《ちくご》に向って出発した。いよいよ宗麟《そうりん》が出陣したのである。

筑後に出撃したのは、「毛利軍来る」の報に肥前の竜造寺隆信《りゅうぞうじたかのぶ》が呼応したからである。竜造寺隆信は高橋鑑種《あきたね》や秋月種実《たねざね》のような小さな国人ではない。彼は東肥前を制圧し、これまでも毛利と連携して二度にわたって大友家と戦っている。そして東肥前だけではなく下筑後、北肥後、筑前にも進出して、大友家にとっては毛利元就《もとなり》につぐ強力な敵だった。

その竜造寺の反抗を一刻も早く鎮《しず》めねば、相つぐ国人の謀反《むほん》を更に引き起すであろう。宗麟は実戦は得手ではなかったが、九州六ヶ国の守護という地位はやはり力を持っていた。守護自身が動座したという報は想像していた以上の影響力を将兵に与え、各地の国人を威圧した。

まず島原半島の有馬晴信《ありまはるのぶ》が大友氏に馳《は》せ参じてきた。山内《さんない》の神代長良《くましろながよし》も宗麟のために竜造寺攻めに加わった。竜造寺勢力内だった東肥前の各国人たちさえほとんど大友側に味方した。

竜造寺隆信の聟《むこ》である小田鎮光《しげみつ》さえ、舅《しゅうと》を見捨てて宗麟の軍門に走った。

「われらに如何《いか》ほどの兵がある」

と隆信は思いもかけぬ事態に驚いて掌握できる兵の数を数えた。

「五千のみ」

と隆信の片腕である鍋島《なべしま》信房、信昌《のぶまさ》兄弟が口惜しそうに答えた。

「されど一騎当千の五千にござる」

隆信はうなずいて本拠地の佐嘉城をその五千の兵で死守する決意をした。

「時には捗々《はかばか》しからざることもある」

息子の吉川《きっかわ》元春からの使者が長門《ながと》の長府にいる元就に戦況を報告すると老人は別に顔色も変えずうなずいた。

「戻って元春に伝えよ。無理攻めはかまえて避けよとな」

しかし自室に戻った時、元就は急に不機嫌《ふきげん》そのものの顔色になった。

彼は大友宗麟を少し甘く見すぎていたことを知った。実戦の苦労を知らぬ公卿《くぎょう》風の男という気持には変りなかったが、朝廷や足利《あしかが》将軍家の与えた権威と地位の力がこれほど物を言うとは考えなかった。

老人の癖で指で脇息《きょうそく》を神経質に叩《たた》きながら彼はこの事態をどう処理するかを考えた。

実は元就にとって頭痛の種はもうひとつあった。

それは撃滅した筈《はず》の尼子氏の残党たちが山中鹿之助《しかのすけ》という遺臣を中心として兵をあげ、その勢い侮《あなど》りがたくなってきたからである。

山中鹿之助たちは尼子氏の血をひく尼子勝久を擁して出雲《いずも》の千酌《ちくみ》湾に上陸し、尼子氏の旧残党を集めた。そしてただちに使者を走らせ宗麟に応援を求めた。

（二〇〈両面〉の戦は避けるべし）

元就は平生からそう考え、息子たちにもそう教えてきた。

（敵引けばこれを押し、敵押せば速やかに引け）

戦いにあけくれたこの老人は柔軟な駆け引きを体ごと憶《おぼ》えた。我武者羅《がむしゃら》に兵を進め、強引に敵と争うことの愚を年齢が教えた。

脇息を指さきで叩きながら彼はいつの間にか日が暮れて部屋も暗くなりはじめたことに気がつかぬほどだった。

燭《しょく》を持って小姓が入り、

「無礼仕《つかまつ》ります」

という声に閉じていた眼を細く開き、

「やむなし」

と聞きとれぬほどの小さい声を出した。

小姓には何が「やむなし」なのか解《げ》せぬまま怪訝《けげん》な顔をして退室した。

やむなしと元就が呟《つぶや》いたのはこの時、北九州に攻め入らせた息子たち――吉川元春と小早川隆景《たかかげ》の軍勢を引きあげるのも「やむなし」と決心がついたからである。

犠牲を払って立花城を攻め落し、竜造寺隆信ほどの勢力も味方に引きずりこみ、かなりの勝算を抱いていただけに、息子たちがこの引きあげ命令に反対することはよくわかっていた。

しかし暴挙は控えねばならぬ。元就の老年の智慧《ちえ》がそう語った。

「将軍、義昭《よしあき》公の上意である」

元就は勝手に大友との和議は将軍のお心に従うものであるという名目を作り、頑強《がんきよう》に大友攻撃軍に反抗している高橋鑑種や秋月種実たちに送った。

もちろん竜造寺隆信の佐嘉城を二重、三重に囲む大友本軍にもこの申し入れを行った。

宗麟は陸だけではなく、南方から水軍をも使い、三万に近い大軍で七月から総攻撃を行っている。

その総攻撃の始まる直前、宗麟は毛利側に和平の動きがあると知らされた。

「毛利狐《ぎつね》にたぶらかされまじ」

再三にわたってあの老獪《ろうかい》な老人にだまされつづけた彼はこの和平の動きを今度は素直に受けとらなかった。

「御推察の通りと存じます」

と軍団長の戸次鑑連《べつきあきつら》、吉岡長増《ながます》らが宗麟の言葉に賛成をした。

「毛利狐の弱味は北と南より攻めこまれることにある。こたびの和議も出雲において滅ぼした筈の尼子の遺臣が義兵を起して戦を挑《いど》んで参ったがゆえの苦肉の策に違いあるまい」

宗麟の言うことは尤《もっと》もだった。既にその尼子軍が出雲の真山城（現松江市法吉町北方）を本営として六千近くの兵を集めていることも、大友軍には知らせが届いていた。

「されば、我らも尼子に呼応し、毛利の裏をかく策はあるまいか」

と宗麟は諸将にたずねた。

もちろん北九州には攻め入った吉川、小早川の軍勢を引きつけておく。そしてがら空きになった長門、周防《すおう》に大友軍の別動隊を送る。その案を実戦に弱い宗麟は不意に思いついたのである。

戸次鑑連も吉岡長増もしばし啞然《あぜん》として宗麟の顔をみつめた。

正直いって、それほどの上策がお家形の口から出るとは二人とも思いもしなかった。

「さすが」

と吉岡長増が感嘆して声をあげた。

「おみごとなる策でございます」

「そのために大義名分が必要であろう。考えよ」

と宗麟も会心の笑みを洩《も》らして得意げだった。

大義名分はさして考えずとも明らかだった。陶《すえ》氏と毛利氏とに簒奪《さんだつ》された長門、周防は宗麟の弟が養子となった大内氏の長年の所領である。

尼子氏が滅びた後にもその残党が蹶起《けっき》するように毛利氏の世になっても大内氏の遺臣は長門や周防の各地に潜伏しているにちがいない。だからその大内氏の血を引く者を見つけ、その者を押したてて義兵を集め、毛利領国に侵入すればよいのだ。

「お家形さま」

吉岡長増が膝《ひざ》を叩くようにして声をあげた。

「恰好《かっこう》の仁がござります」

「いるか。何者か」

「お忘れでございますか。大護院尊光さまの御子、輝弘殿でございます。尊光さまは僧となられましたが、まぎれもなく大内義隆《よしたか》さまの叔父にあたられる方。謀反の企てによって大内家の不興を蒙《こうむ》り、豊後《ぶんご》に逃れられましたが、その御子、輝弘さまは僧になられるのを厭《いと》うておられると耳に致したこともござります。みども、ただ今、あの方を思い出しました」

「輝弘はいずこにいる」

「府内の寺に住まわれておられます」

宗麟の頬《ほお》に笑みが浮かんだ。彼にとっては弟、晴英《はるふさ》（大内義長《よしなが》）の恨みを晴らす名分がたち、その輝弘という男には滅亡した大内家再興の大義となる。

「佐嘉の攻めは戸次鑑連に任す。余は急ぎ豊後に戻って輝弘のために兵を集める」

彼が立ちあがると、列席していた戸次鑑連と吉岡長増も直立した。小姓を従え、廊下を歩きながら宗麟は自分が臼杵に移ったことは無駄《むだ》ではなかったと思った。

（毛利水軍のすべては門司《もじ》城の周りに集っておる。臼杵にて育てた若林水軍を余は使《つこ》うて、毛利水軍に気どられぬよう周防か長門の港に兵を送る）

宗麟はこの戦の勝敗はこれが毛利側に洩れぬことだと思った。

「この事は味方にも洩らしてはならぬ」

と彼は相談をした戸次、吉岡にもかたく口を閉ざすことを求めた。

万寿寺の暗い本堂であまたの僧にまじって日課の読経《どきよう》をあげていた喝食《かつしき》の輝弘に別の若い僧が近よって何かを囁《ささや》いた。

驚いた風に立ちあがった輝弘はその瞬間から自分の運命が百八十度、変ることを夢にも考えず、秋の陽《ひ》のさした宏大《こうだい》な境内に面した廊下に歩いていった。

彼を顎鬚《あごひげ》をはやした侍が二人、待っていた。二人のうち、一人が、

「大旦那《おおだんな》さま（宗麟のこと）が臼杵にてお待ちにござる」

と恭《うやうや》しく言った。もう一人は手を膝においたまま眼光鋭く輝弘を凝視していた。

何かわからぬが自分の身の上に異常な事が起ったのを輝弘は予感した。大きな猛鳥が羽をひろげて翼の影を落しながら頭上をかすめていく——そんな時に感じる恐怖心をおぼえて彼は宗麟の家臣に促されて馬にのった。

臼杵の青い海が見えるまでに彼は一度、

「お家形《やかた》さまは如何なるゆえにお呼びくださったのか」

と顎鬚をはやした侍にたずねた。

「存じませぬ」

と侍は冷やかに答えて白く波のたつ海に顔を向けた。

館《やかた》は海の音の聞える島にあった。長い間、小室で待たされた後、

「お家形さまがお出になられます」

と小姓の告げがあり、やがてゆったりとした唐織物を着た宗麟がいかにも親しげな笑いをうかべながら現われた。

平伏した輝弘に宗麟はうなずき、部屋の左側に三人の侍が坐《すわ》った。

しばらく宗麟は万寿寺の模様や禅の話をつづけた後、毛利の軍勢が北九州に侵入して周防、長門ががら空きだと説明した。

「されば輝弘殿は大内家旧領を恢復《かいふく》する存念はおありか。おありとするならば今をおいて再びこれほどの機会はあるまい」

「は」

と答えて輝弘は返事に迷った。夢にも考えていなかった出来事がまるで遠くから飛んできた矢のように眼前に突きささった。

「名門、大内家はわが弟晴英が無念にも毛利の手によって自刃《じじん》せしめられてより断絶の形と相なったる儀、余にとっても口惜《くや》しい。弟の恨みを晴らし、大内家をふたたび周防、長門の守護たらしめるため、余も及ぶ限りの力を貸してもよい。輝弘殿に御異存はないか」

「忝《かたじけの》うござります」

と輝弘はふたたび平伏して、

「お家形さまのお力を借りて恨みをのんで相果てました家祖と一族との名を再びとり戻したく存じます」

宗麟は平伏したこの青年の首すじをみて、ふとその面《おも》だちが弟の晴英に似ているような気がした。

あの時は彼は弟が周防に渡ることをとめた。それは晴英が結局は陶晴賢《すえはるかた》の傀儡《かいらい》にすぎぬことを知っていたからであるが、弟はそれがわからなかった。

そして十七年の歳月が経《た》ち、今度はこの輝弘が宗麟自身の傀儡となって周防に上陸する……。

(おそらく元就は軍を引きあげさせ、この輝弘と大内家の遺臣、残党をうち亡《ほろ》ぼすであろう。

この若者の前には晴英のごとく、死が待ち受けている)

宗麟は弟が遭遇した運命と同じ道を輝弘がたどることを感じながらも、

「さしあたり臼杵水軍の、若林鎮興《しげおき》に戦の支度を与える心づもりである。鎮興は既に隣室に待っている」

宗麟が眼《め》で合図をすると心得たように背後に控えた侍が襖《ふすま》を両側から開けた。

輝弘はそこに先ほど自分を万寿寺まで迎えにきた顎鬚をはやした侍が平伏した顔をあげたのを見た。

「若林鎮興にございます」

と彼は改めて自分の姓名を名のった。

「わが水軍をもって輝弘さまを周防までお連れ申しあげます」

「周防のいずこに兵をあげる所存か」

と宗麟が輝弘にかわってたずねた。

「吉敷《よしき》郡合尾《あいお》浦《うら》と申す入江がございます」

あらかじめうち合わせられたらしく、二人の侍は輝弘の前に大きな絵図をひろげた。絵図にはうすい彩色で豊前《ぶぜん》、豊後の九州の国々や周防灘《なだ》や長門、周防が描かれていた。

「この臼杵より兵船二百隻《せき》をもって周防灘を渡り、椹野《ふしの》川の川口、合尾浦に向います。兵数、二千。合尾浦より北上致しますれば山口まで三日とかかりますまい」

「この合戦、毛利に気どられぬことが何より肝要であろうな」

「仰《おお》せの通りでございます」

宗麟は輝弘が嬉《うれ》しげに若林鎮興の説明を聴いている紅潮した顔を見て思った。

（弟、晴英も同じであった）

弟、晴英は兄の勢力の届かぬ国々の大守になれるという悦《よろこ》びにやはり顔を紅潮させ、眼を赫《かがや》かせていた。

希望と夢にみちた眼。その眼で今、この青年は絵図を見ている。彼の一族がかつて支配していた国々。失った所領をとり戻すことができるのだ。

「輝弘殿は御満足か」

「感悦、これに過ぎるものはござりませぬ。お家形さまの御厚情、生涯《しょうがい》決して忘れますまい」

生涯、決して忘れますまい。その生涯とはいつまで続くであろうかと宗麟は思った。たとえ山口を攻めとることができたとしても、それは一炊の夢であることにこの青年は気づいていない。あの元就《もとなり》が指をくわえて何もせぬ筈《はず》は決してないからだ。

（むざんとはいえ、家形である限り余は行わねばならぬ）

瞬間、邸《やしき》を火にやかれながら死んでいった女の表情が甦《よみがえ》った。矢乃《やの》は言った。「戦において殺した敵を憐《あわ》れむでありましょうか。あの女はわたくしにとり敵でございます」

毛利を領国から駆逐するためには輝弘は犠牲にならねばならぬ、捨石とならねばならぬ。

「鎮興」

と宗麟は笑顔を若林鎮興にむけた。

「大友の水軍のうち、鎮興の率いる兵船こそ毛利のそれに勝ることを存分に見せるがよい」

「忝く存じます」

暗夜、若林水軍の兵船二百隻は臼杵湾内から五十隻ずつ沖に乗りだしていった。

味方をあざむくためにもこの出発は府内の大友屋敷にも連絡されていなかった。

当時、戦国水軍は将船という総大将の乗る安《あ》宅船《たけぶね》を中心にそれを囲んで将船を護衛する五十挺《ちょう》立てから百挺立ての護衛船がついた。そしてこの時の若林水軍にはこのほかに二十挺立ての斥候《せっこう》船が二隻一組の単位で毛利側の水軍が出現しないかを偵察《ていさつ》するため、将船よりはるか先に進んでいた。

帆は風をうけてすべての船は順調に伊予《いよ》灘を北上し、国東《くにさき》半島の東を周防灘に入ろうとしている。

「このあたりより」

と将船の天守台で若林鎮興は薔薇《ばら》色《いろ》にそまった朝の水平線に眼をやり、

「敵と出会うやもしれませぬ」

「毛利水軍は門司のまわりに集まっているのではないのか」

「たしかに。しかし漁師の舟といえども毛利に通報致す怖《おそ》れがござります。伊予の水軍も出没いたします。暗夜ならばとも角、夜も明けました。油断無用の峡《はざま》にかかりました」

帆ははらんでいたが鎮興は更に速度を増すため櫂《かい》もこがせた。

鎮興はもちろん水軍の将兵は陸上の兵のように脛当《すねあて》や小手は使わぬ。冑《かぶと》と胴丸を身につけただけであるが、それは狭い船中で働きやすくするためなのだ。

偵察船のうち一隻が全速力で急報を持って戻ってきた。

「敵らしき舟、四十挺立てのもの、井楼《せいろう》をつけておりましたるが、こちらに近づき、急いで引きかえしました」

「奇船であろう。おそらく急ぎ毛利水軍に知らせに参った筈」

鎮興は答えた。奇船とは敏捷《びんしょう》に動いて奇襲をかける舟で現在の巡洋艦にあたる。

「輝弘さま。これは合尾浦に入る前に一合戦致すやもしれませぬ」

若い輝弘は体の震えを感じた。生れて初めて参加する実戦である。

「御案じなされますな」

輝弘の震えをみて鎮興は苦笑した。

「敵の大半は門司に赴いております。合尾浦におります毛利の舟はせいぜい多くて五十隻。

数においても我らが勝っておりますゆえ」

海は穏やかで、まるであと三、四時間で烈《はげ》しい戦がくり展《ひろ》げられるとは知らないように白帆はらみ、飛魚らしい魚が水上を飛んできえていった。

「合戦までしばし御休息なされませ」

輝弘は言われるままに天守台の隅《すみ》で眼をつむった。しかし帆柱の軋《きし》む単調な音は彼に眠りを誘うどころか、逆に興奮をつのらせるのだった。

陽が少し翳《かげ》りはじめた。相変らず帆柱が軋んでいる。

突然——

「敵じゃ。敵の舟がみえまする」

帆柱の上から偵察していた船頭の叫びが天守台に聞えてきた。舟のなかで駆ける音、命令の声がそれにつづいた。

「いよいよ、始まります」

若林鎮興は大刀の柄《つか》を押えてゆっくりと立ちあがった。

甲板に出ると兵たちは石火矢やら、あるいは銃を持ち、既に戦闘態勢に入っていた。大筒のまわりにも砲撃手が三人、立っていた。

投鉤《なげかぎ》や松明《たいまつ》を手にした兵もいた。これは敵の舟に松明を放りこみ火災を起させるためである。

る。


「青旗を立てよ」

鎮興は最初の命令を出した。

水軍において青旗は先手《さきて》に前進を命ずるものであり、白旗はその舟は引けという合図である。

陸地近くに敵の水軍が逆三角形の陣営を作って若林水軍を待ちかまえていた。

「敵はわずか、四十数隻ぞ」

鎮興は味方を励ました。

「恐るるなかれ。侮《あなど》るなかれ」

接近と同時に敵舟から針のように石火矢が飛んできた。あちこちで若林水軍の舟に火災が起り、それを消すため水夫たちが右往左往して水をかける。

「まだ、まだ」

鎮興は怺《こら》えて攻撃命令を出さなかった。彼はそれよりも味方の陣形が乱れることを怖れた。

彼の命令はただ、

「鉄砲組は鉄砲をかまえよ」

ということだけだった。やがて、両水軍の舟はほとんど衝突するぐらい近くなった。敵の石火矢が更に乱れとび、輝弘の乗る将船にも火が起った。鎮興はこの時、攻撃を開始した。

「今ぞ。石火矢の敵を射て」

四方から若林水軍の銃声が一斉《いっせい》に響いた。敵兵が仰向《あおむ》けざまに飛び、海中に放《ほう》り出された。水しぶきがあがった。

将船の甲板で輝弘は動こうにも動けなかった。はじめて参加した戦で彼は何を行っていいのか頭は混乱し、ただ棒のように立っていた。

「輝弘さまは楯《たて》のかげにて、ごゆるりとお待ちなされ」

と若林鎮興がそれを見て声をかけた。

敵の水軍はまず退路をふさがれ、ひと塊り塊ったところを大筒によって狙《ねら》いうちされた。木片と人間とが同時に空中に飛び、そして海のなかに石のように落ちた。あちこちに溺《おぼ》れた水夫や兵たちの頭や仰向けになった肉体が浮き沈みしていた。

完全に若林水軍の勝ちだった。

「防州合尾浦取懸、無残所被打崩、数十人被討果之由、就中自身分浦高名……今度忠儀《ママ》之次第無比類候」

これは永禄《えいろく》十二年八月十六日附の鎮興への感状の一節だが、上陸作戦成功に臼杵《うすき》城でいかに宗麟が悦んだかがうかがえる。

敵水軍を撃砕すると大内輝弘を総大将として二千の兵が上陸した。ここで抵抗らしき抵抗がなかったのは毛利勢がこの不意討ちに防禦《ぼうぎょ》態勢が整っていなかったためである。

しかし合尾浦からさして遠くない山口まで二ヶ月かかったのは、元就側の市川経好《つねよし》が山口にある高嶺城《こうのみね》で頑強《がんきょう》に反抗したからである。

大内家の血をひく輝弘が帰還したという報は水のように長門《ながと》、周防《すおう》に拡《ひろ》がった。身をひそめていた大内家旧臣は続々と山口に集まってきた。

知らせを受けた元就はしばし一言もいえず、棒のように立っていた。彼は豊後《ぶんご》の優男《やさおとこ》がこのような作戦を立てるとは思いもしなかった。茫然《ぼうぜん》としたまま自分が悪夢を見ているのだと思った。

「高嶺城が落ちたか」

「いえ、いまだに城兵、援兵を待って城を守っております。されど、大内輝弘は大内旧臣に没収された知行地を元に戻すと約し、味方を集めております」

この年の元就は七十三歳だったが、七十三歳の老人にとって衝撃がいかに大きかったかは、彼がそれから二年後に病没したことでもわかる。

震える手で脇息《きょうそく》をつかみ、元就はかすれた声で叫んだ。

「元春、隆景《たかかげ》に直ちに立花城より門司《もじ》に戻れと命ぜよ」

「立花城を……お棄《す》てになるのでございますか」

多くの血を流して奪いとった立花城は毛利方にとって九州侵入の重要基地だった。それを元就は捨てるつもりなのだ。居あわせた重臣たちは思わず息をのんだ。

「尼子の残党、大内の残党を悉《ことごと》くなで切り致すのが先決ぞ」

と元就はひるむ重臣を叱《しか》った。

この命令をうけた十月十四日。吉川《きつかわ》元春、小早川隆景は夜陰に乗じて立花城を撤退した。小早川隆景の水軍は芦屋《あしや》でこれら撤退軍をひそかに上船させた。

敵の退却に気づいた大友軍団は群狼《ぐんろう》の集団のように追撃にかかった。立花城から小倉津（現在の北九州市小倉区）まで血みどろの抵抗と攻撃とがくりかえされたが、毛利側は三千五百の戦死者を残して辛《かろ》うじて引きあげた。死屍累々《ししるいるい》として完全な毛利側の敗北である。

だがその屈辱を元就は山口を占領した大内輝弘軍を殲滅《せんめつ》することで晴らそうとした。門司に撤退した吉川元春に命じ、一万の兵をもって山口へ向わせた。

だが輝弘は山口を占拠しただけで既に得意になっていた。彼を上陸させた若林鎮興にさえ、長州阿武《あぶ》郡に知行地を与える預け状（仮証文のごときもの）まで作らせている。

「愚か者が」

鎮興は唖然《あぜん》としてこの沙汰《さた》をきいた。彼は九州から引きあげた毛利軍が総力をあげて大内輝弘を攻撃してくることを知っていたし、この作戦がいわば囮《おとり》作戦だとも承知していた。

それだけに輝弘の無知が憐れだったが、勝目のない戦に巻きこまれたくはなかった。若林水軍は来た時とは逆に輝弘に気づかれぬよう合尾浦から逃亡したのである。

吉川元春の一万の大軍が山口に近づいてきた。二千余人の軍勢ではその大軍とまともには戦えぬ。

「ひとまず、豊後に戻るがよしと存じます」

と側近たちも逃げ腰になって言った。

「この戦は毛利を筑前《ちくぜん》より引きあげさせるためなれば、ここは豊後に戻られませ」

輝弘は既に冷気の強くなった山口を退去して若林水軍が待っている筈の合尾浦に退却しようとした。

だが、湾には味方の舟の影はまったく見えない。秋の陽《ひ》をあびて海が光り、そして漁師たちは戦火を怖れて逃亡していた。

「裏切られた」

ここに至って輝弘もはじめて自分の愚かさに気づいた。彼は茫然と湾を見おろした。

吉川軍は次第に迫ってくる。その先兵の影が見えてきた。最後の拠《よ》り処《どころ》は富海《とのみ》の浮野《うけの》峠と茶臼《ちゃうす》山しかない。万一の脱出路を求めて輝弘はこの峠に最後の防衛線をひいている。十月二十五日のことである。

自分がたんなる道具にしかすぎなかったと輝弘は思い知りながら、渡海を奨《すす》め、大内家再興を促したあの日の宗麟の笑顔を蘇《よみがえ》らせた。

「狐《きつね》！」

彼は宗麟にたいしてこの言葉を吐き呪《のろ》った。それは宗麟が毛利元就を罵《ののし》る時、使う言葉だった。

既に峠は毛利勢に囲まれ、その部隊は三方から登ってくる。味方二千のうち大半は逃亡をして手兵は五百にすぎぬ。

輝弘は側近の一人に介錯《かいしゃく》をたのみ、人眼《ひとめ》にふれぬ林のなかに姿を消した。

彼は短刀をぬき、豊後の方角をむいて、もう一度、罵った。

「狐！」

府内の大友屋敷でも臼杵城でも悦びの歓声がたびたび起った。

宗麟は臼杵城の庭に桟敷《さじき》を作らせ、能興行を催していた。

彼のそばには重臣、同紋衆の佐伯惟教《さいきこれのり》や田原親賢《ちかかた》や朽網鑑康《くたみあきやす》たちが並んで観劇をしていた。

「小原木、小原木めせや、黒木めせ、小原しづ原せりふの里、おぼろの清水のかげ、はやせの里人、知らぬ梅の匂《にほ》ふや、この里の春風」

女の出立《いでた》ちをした能役者は金襴《きんらん》の前だれをして桜の造花を手にして舞っていた。

近習の一人が桟敷に駆けより田原親賢に何事か囁《ささや》いた。親賢はうなずいて宗麟にそれを報告した。

みるみるうちに宗麟の顔に喜色が溢《あふ》れ、佐伯惟教にこれを全員に告げるよう命じた。

「踊をやめよ」

　と惟教は大声をあげた。

「毛利の軍勢、雪崩《なだれ》のごとく小倉津より門司に敗走、豊前の謀反者たちも芸州に逃げ去った。高橋鑑種《あきたね》も宝満城を開き、立花城も我らが手に落ちた」

　桟敷の人波がゆれ、すさまじい喚声が拡がった。

「大友は毛利を追い払うたぞ」

　と宗麟は周りの重臣たちに叫んだ。しかし喚声がやがて静まった時、もうひとつの知らせが届いた。

「大内輝弘さま、合尾浦にて自刃《じじん》なされました」

「やむなし」

　と朽網鑑康が大声で言った。

「それが戦と申すものである。お家形《やかた》さまのお考えなされた策はまこと、みごとでございました」

　宗麟はうなずいた。しかし彼の耳もとでもうひとつの声が囁いた。

「お前は弟を見殺しにし、輝弘を囮として見殺しにした。お前は父を死なせて家形となった」

その声は男の声のようであり、女の声のようでもあった。いや、あの炎と煙のなかで生涯《しょうがい》を清算した女の声だった。

「お家形さま、家形であることをおよしなされませ。お家形さまのようなお方にそれはあまりに重うございます」

ザビエルも遠くでそう言っている。

遠藤周作著　白い人・黄色い人
芥川賞受賞

ナチ拷問に焦点をあて、存在の根源に神を求める意志の必然性を探る「白い人」、神をもたない日本人の精神的悲惨を追う「黄色い人」。

遠藤周作著　海と毒薬
毎日出版文化賞・新潮社文学賞受賞

何が彼らをこのような残虐行為に駆りたてたのか？　終戦時の大学病院の生体解剖事件を小説化し、日本人の罪悪感を追求した問題作。

遠藤周作著　留学

時代を異にして留学した三人の学生が、ヨーロッパ文明の壁に挑みながらも精神的風土の絶対的相違によって挫折してゆく姿を描く。

遠藤周作著　月光のドミナ

人間の心にひそむ暗い衝動や恐怖を誠実な筆致で描く初期短編集。表題作ほか「イヤな奴」「あまりに碧い空」「地なり」など10編。

遠藤周作著　影法師

神の教えに背いて結婚し、教会を去っていくカトリック神父の孤独と寂寥——名作『沈黙』以来のテーマを深化させた表題作等11編。

遠藤周作著　母なるもの

やさしく許す〝母なるもの〟を宗教の中に求める日本人の精神の志向と、作者自身の母性への憧憬とを重ねあわせてつづった作品集。

遠藤周作著

沈　黙

谷崎潤一郎賞受賞

殉教を遂げるキリシタン信徒と棄教を迫られるポルトガル司祭。神の存在、背教の心理、東洋と西洋の思想的断絶等を追求した問題作。

遠藤周作著

死海のほとり

信仰につまずき、キリストを棄てようとした男――彼は真実のイエスを求め、死海のほとりにその足跡を追う。愛と信仰の原点を探る。

遠藤周作著

侍

野間文芸賞受賞

藩主の命を受け、海を渡った遣欧使節「侍」。政治の渦に巻きこまれ、歴史の闇に消えていった男の生を通して人生と信仰の意味を問う。

遠藤周作著

十一の色硝子

歳月、老い、人生……深々と心に刻まれる生の断片。生きることの重みを、人生のうしろ姿を、しみじみと心にしみこませる11編。

遠藤周作著

スキャンダル

数々の賞を受賞したキリスト教作家の醜聞《スキャンダル》！繁華街の覗き部屋、ＳＭクラブに出没するもう一人の〈自分〉の正体は？　衝撃の長編。

遠藤周作著

王国への道

―山田長政―

シャム（タイ）の古都で暗躍した山田長政と、切支丹の冒険家・ペドロ岐部――二人の生き方を通して、日本人とは何かを探る長編。

遠藤周作著

イエスの生涯

国際ダグ・ハマーショルド賞受賞

青年大工イエスはなぜ十字架上で殺されなければならなかったのか——。あらゆる「イエス伝」をふまえて、その〈生〉の真実を刻む。

遠藤周作著

キリストの誕生

読売文学賞受賞

十字架上で無力に死んだイエスは死後〝救い主〟と呼ばれ始める……。残された人々の心の痕跡を探り、人間の魂の深奥のドラマを描く。

遠藤周作著

大変だァ

闇鍋会に放射線を浴びた鶏が供された。男は女に、女は男に……時ならぬ性転換の悲喜劇からくりひろげられる騒動！ ユーモア長編。

遠藤周作著

彼の生きかた

吃るため人とうまく接することが出来ず、人間よりも動物を愛し、日本猿の餌づけに一身を捧げる男の純朴でひたむきな生き方を描く。

遠藤周作著

砂の城

過激派集団に入った西も、詐欺漢に身を捧げたトシも真実を求めて生きようとしたのだ。ひたむきに生きた若者たちの青春群像を描く。

遠藤周作著

悲しみの歌

戦犯の過去を持つ開業医、無類のお人好しの外人……大都会新宿で輪舞のようにからみ合う人々を通し人間の弱さと悲しみを見つめる。

遠藤周作著　**真昼の悪魔**

悪には悪の美と楽しみがある——大学病院を舞台に、つぎつぎと異常な行動に走る美貌の女医の神秘をさぐる推理長編小説。

遠藤周作著　**王妃 マリー・アントワネット**（全二冊）

苛酷な運命の中で、愛と優雅さを失うまいとする悲劇の王妃。激動のフランス革命を背景に、多彩な人物が織りなす華麗な歴史ロマン。

遠藤周作著　**女の一生**　一部・キクの場合

幕末から明治の長崎を舞台に、切支丹大弾圧にも屈しない信者たちと、流刑の若者に想いを寄せるキクの短くも清らかな一生を描く。

遠藤周作著　**女の一生**　二部・サチ子の場合

第二次大戦下の長崎、戦争の嵐は教会の幼友達サチ子と修平の愛を引き裂いていく。修平は特攻出撃。長崎は原爆にみまわれる……。

遠藤周作著　**ファーストレディ**（上・下）

代議士とその妻。弁護士と女医の夫婦。二組の夫婦の人生を軸に、戦後日本の四十年を描いた社会派エンターテインメント。

遠藤周作著　**ボクは好奇心のかたまり**

美人女優に面談を強要する、幽霊屋敷の探険に行く、素人劇団を作る、催眠術を見物に行く。物好き精神を発揮して狐狸庵先生東奔西走。

遠藤周作著

冬の優しさ

留学した青年時代から今日までの〝私の歳月〟と〝人生の出会い〟をふり返りつつ、人間と愛と生と死を優しく綴った愛のエッセイ集。

遠藤周作
佐藤泰正著

人生の同伴者

佐藤の真摯な問いに答え、遠藤周作が、心に刻まれた記憶や体験あるいは主要な自作を通して、文学、思想、信仰、生活のすべてを語る。

曽野綾子著

時の止まった赤ん坊（上・下）

マダガスカルの修道院付属の産院で助産婦として働く日本人の修道女の目を通して、生きることの尊厳とはなにかを問いかけた問題作。

曽野綾子著

天上の青（上・下）

ある夏の朝、ふとしたことで知り合った一人の男。彼は自ら詩人と称して次々に女性を誘い、犯し、殺し続ける冷酷な悪魔だった……。

曽野綾子
A・デーケン著

旅立ちの朝に

—愛と死を語る往復書簡—

死を考えることは、生と愛を考えることである。「死学」の創始者デーケン神父と作家・曽野綾子との間に交された示唆深い往復書簡集。

曽野綾子著

聖書の中の友情論

友情を長続きさせるために必要なこととは？——聖書に収められた逸話を通して著者は、人間関係の様々な問題を易しく説き明かす。

北杜夫著　楡家の人びと
毎日出版文化賞受賞（全二冊）

楡脳病院の七つの塔の下に群がる三代の大家族と、彼らを取り巻く近代日本五十年の歴史の流れ……日本人の夢と郷愁を刻んだ大作。

北杜夫著　輝ける碧き空の下で
第一部（上・下）

明治四十一年、第一回ブラジル移民船笠戸丸がサントスに入港した。苛酷な自然と厳しい労働に苦闘する移民を描く大河小説第一部。

北杜夫著　輝ける碧き空の下で
第二部（上・下）
日本文学大賞受賞

未開の大地アマゾンへの入植。そして、太平洋戦争勃発で孤立した移民たちの焦燥と困苦。移民たちの夢の行方を描く二部大作の昭和編。

北杜夫著　神々の消えた土地

太平洋戦争末期、死と隣り合せの日々のなか、少年は早熟で愛らしい少女と出会う。信州の自然を背景に描く清純で神話的な愛の牧歌。

北杜夫著　怪盗ジバコ

史上最強の怪盗が現れた！　世界を股にかけ、盗んだ額は国家予算をはるかに超える――怪盗ジバコの活躍やいかに。ユーモア連作8編。

北杜夫著　どくとるマンボウ航海記

のどかな笑いをふりまきながら、青い空の下をボロ船に乗って海外旅行に出かけたどくとるマンボウ。独自の観察眼でつづる旅行記。

阿川弘之著

雲の墓標

一特攻学徒兵吉野次郎の日記の形をとり、大空に散った彼ら若人たちの、生への執着と死の恐怖に身もだえる真実の姿を描く問題作。

阿川弘之著

山本五十六

新潮社文学賞受賞（全二冊）

戦争に反対しつつも、自ら対米戦争の火蓋を切らねばならなかった連合艦隊司令長官、山本五十六。日本海軍史上最大の提督の人間像。

阿川弘之著

暗い波濤

（全二冊）

見込みない戦いの中、あの時代に鮮やかに焼きつけられた多くの若きいのち——。海軍予備学生たちの青春群像を描き尽す鎮魂歌。

吉村昭著

戦艦武蔵

帝国海軍の夢と野望を賭けた不沈の巨艦「武蔵」——その極秘の建造から壮絶な終焉まで、壮大なドラマの全貌を描いた記録文学の力作。

吉村昭著

冷い夏、熱い夏

毎日芸術賞受賞

肺癌に侵され激痛との格闘のすえに逝った弟。強い信念のもとに癌であることを隠し通し、ゆるぎない眼で死をみつめた感動の長編小説。

吉村昭著

桜田門外ノ変

（上・下）

幕政改革から倒幕へ——。尊王攘夷運動の一大転機となった井伊大老暗殺事件を、水戸薩摩両藩十八人の襲撃者の側から描く歴史大作。

芥川龍之介著　奉教人の死

殉教者の心情や、東西の異質な文化の接触と融和に関心を抱いた著者が、近代日本文学に新しい分野を開拓した〝切支丹物〟の作品集。

井上　靖著　風林火山

知略縦横の軍師として信玄に仕える山本勘助が、秘かに慕う信玄の側室由布姫。風林火山の旗のもと、川中島の合戦は目前に迫る……。

辻　邦生著　安土往還記

戦国時代、宣教師に随行して渡来した外国船員を語り手に、乱世にあってなお純粋に世の道理を求める織田信長の心と行動をえがく。

司馬遼太郎著　新史　太閤記（全二冊）

日本史上、最もたくみに人の心を捉えた〝人蕩し〟の天才、豊臣秀吉の生涯を、冷徹な史眼と新鮮な感覚で描く最も現代的な太閤記。

藤沢周平著　密　謀（全二冊）

天下分け目の関ケ原決戦に、三成と密約がありながら上杉勢が参戦しなかったのはなぜか？　歴史の謎を解明する話題の戦国ドラマ。

津本　陽著　下天は夢か　信長私記

戦国の群雄のなか、なぜ信長は最初の天下政権を可能にしたか？　先見性、合理性、行動力など、時代を超越したその魅力をつづる。

王《おう》の挽《ばん》歌《か》(上)

新潮文庫　え－1－33

平成八年一月一日発行

著者　遠《えん》藤《どう》周《しゅう》作《さく》

発行者　佐藤亮一

発行所　株式会社新潮社

郵便番号　一六二
東京都新宿区矢来町七一
電話　編集部(〇三)三二六六－五四四〇
　　　読者係(〇三)三二六六－五一一一
振替　〇〇一四〇－五－八〇八

価格はカバーに表示してあります。

乱丁・落丁本は、ご面倒ですが小社読者係宛ご送付ください。送料小社負担にてお取替えいたします。

印刷・大日本印刷株式会社　製本・加藤製本株式会社

ISBN4-10-112333-0 C0193